그들은
나는

우리는

우리가 녹는 온도

정이현

녹을 것을 알면서도
눈사람을 만드는 그 마음에 대하여

차례

프롤로그

어떤 눈도 녹는다는 것, 녹고 만다는 것.

눈이 내리기 시작하는 것을 보며 설레거나 즐거운 것이 아니라 며칠 후의 시간에 대해 생각하는 사람. 저는 그런 사람입니다.

그런데 이번에는, 내리는 눈을 지켜보려고 합니다.

그 눈이 천천히 내려 쌓이고 땅이 얼고 누군가는 미끄러지고 누군가는 소란스럽게 웃고 또 누군가들은 넘어지지 않기 위해 손을 꼭 잡고 걸었던 시간에 관하여 쓰려고 합니다. 처음도 끝도 아닌, 처음과 끝을 포함한 여러 개의 조각들에 관하여.

그것이 이미 지나간 일일지라도.

눈은 이미 오래전에 녹았을지라도.

지금은 자취도 없이 사라졌을지라도.

포기했을지라도, 실패했을지라도.

그 순간들은 아름다웠다는 것을

사실, 어는점과 녹는점은 같다는 것을

쌓인 눈의 일부는 녹아 물이 되고, 또 일부는 승화되어 허공으로 더 넓게, 더 멀리 퍼져나간다는 것을 기억하려고 합니다.

혹시 희미하게 반짝이는 눈의 소리를 들을 수 있을까요.

화 요 일 의
기 린

그들은,

일요일 일요일 일요일 다음에
월요일 월요일 월요일 다음에
화요일 화요일 화요일의 기린
두 팔을 쭉 뻗고 내 목을 감싸줘

—

이호석 노래 〈화요일의 기린〉 중에서

이 도시에 살면서 동물원에 가본 적 없다는 은우의 말을 아무도 믿지 않을 것이다. 동물원과 미술관과 가족놀이공원과 경마장을 가진 그 도시에 은우는 세 해 전에 이사 왔다. 사슴이의 건강에 본격적인 문제가 생겼을 때였다. 사슴이는 그즈음 자주 이불이나 소파에 얼굴을 문대거나 발로 눈을 비비는 행동을 하곤 했다. 동물병원에서는 녹내장 진단을 내렸다. 눈 안쪽에는 포도막염이 심하다고 했다. 수술을 받지 않으면 앞을 볼 수 없게 될지도 모른다고 했다.

수술을 받은 뒤에도 사슴이의 눈은 완전히 낫지 않았다. 어쩔 수 없이 왼쪽은 안구 적출을 해야 했고, 그보다 좀 나은 오른쪽은 어떻게든 버티도록 해야 했다. 그다음에는 심장의 이상이 찾아왔다.

"심장 안쪽의 판막이 제대로 안 닫혀서 그렇습니다. 혈액이 역류하면서 과부하가 걸리는 거죠."

수의사는 설명했다.

"왜……요?"

은우의 혼잣말 같은 물음에 수의사가 당연하다는 듯이 대답했다.

"늙어간다는 증거죠."

사슴이의 나이는 그때 열두 살이었다. 사람의 나이로 치면 환갑이 지난 셈이라고 어머니는 말하기를 좋아했다. 은우는 그 말이 듣기 싫었다. 사람은 사람의 나이를, 개는 개의 나이를 먹을 뿐이다. 이사를 결정해야 했을 때, 공기가 좋고 산책할 만한 길이 많은 동네를 찾았다. 사슴이의 마지막 시간들을 함께 보내게 될 공간이었다. 개 때문에 이사할 장소를 선택했다는 것 역시 믿을 사람이 없겠지만, 그런 것은 아무래도 좋았다.

은우에게는 친구가 많지 않았다. 아직 친하지 않은 사람들과 이야기할 때 긴장을 쉬 풀 수가 없었고, 여럿이 모여 왁자한 자리에서는 즐거움을 느끼지 못했다. 은우가 좋아하는 것은 책 읽기, 생각하기, 그림 그리기, 퍼즐 맞추기 같은 것이었다. 모두 혼자 할 수 있는 것이었다. 그 모든 순간에 사슴이가 함께 있었다.

사슴이는 시추였다. 데려온 곳은 시내의 대형 애견숍이었다. 동물을 키울 계획도 준비도 없었다. 더구나 그때 사슴이는 간신히 엄마 젖을 뗀 어린 강아지였다. 은우가 일 년에 한두 번도 지나지 않는 길이었다. 어쩐 일로 그 길을 걷다가 은우는 쇼윈도 앞에서 발을 멈추었다. 좁은 공동주택 같은 케이지 속에서 각자의 방식으로 꼬물거리는 수십 마리의 강아지들이 있었다. 그중 하나가 이 아이였다. 사슴이라는 이름을 가지기 전의 강아지는 까만 눈동자로 말끄러미 바라보았다. 꼬리를 흔들지도 않고, 쇼윈도의 유리를 핥듯 가까이 오려 들지도 않았다. 그날 은우는 시간에 쫓겨 돌아왔지만, 밤에도, 다음날 아침에도 내내, 그 바닷가 돌멩이처럼 반질반질하던 눈동자가 잊히지 않았다.

다시 도착한 가게의 쇼윈도에는 그 강아지가 보이지 않았다. 혹시 그 사이 어디론가 팔려갔을지도 모른다는 데 생각이 미쳤다. 무릎이 꺾이는 기분이 들었다. 가게 안으로 들어가보았다. 주인이, 안쪽 케이지로 옮겨진 강아지를 보여주었다. 어제의 그 시추가 맞았다. 무언가에 홀린 듯 은우는 강아지를 품에 받아 안았다. 뭉글뭉글하고 따뜻했다.

이름을 지어야 했을 때 가장 먼저 떠오른 단어가 사슴이었다. 처음 봤을 때 녀석의 눈동자가 사슴의 눈동자 같다고 느꼈기 때문이다. 사슴이라는 이름을 가진 시추는 어디에도 존재하지 않을 것 같았다. 그렇다면 여기 한 마리쯤 존재해도 될 터였다.

사슴이가 한쪽 눈으로만 볼 수 있는 개가 되어 돌아온 날, 은우는 쉽게 잠을 이루지 못했다. 녀석도 그런 눈치였다. 은우는 침대 곁의 스탠드 불빛을 켰다. 연주황색으로 퍼지는 불빛이 약하나마 안정감을 주었다. 잠이 오지 않는 밤이면 으레 그렇듯 책장에서 소설책 한 권을 꺼내왔다. 얼마 전에 사두었지만 아직 읽지 못한 책이었다. 개가 천천히 곁으로 다가와 같은 자세로 엎드렸다.

은우는 책을 펼쳤다. 그 안에 다른 동물의 이름을 가진 강아지가 있었다. 그리고 한 소년과 가족이 있었다.

"하얀색이니까, 설탕으로 했으면 좋겠어."

(…)

"강아지 이름은 태호가 벌써 지었어."

"엉? 태호가? 뭐라고?"

"기린이야."

"기이리인?"

—

김연수 소설 「깊은 밤, 기린의 말」 중에서

소설 속 소년 태호는 자기만의 작고 깊은 세계 속에 들어앉아 있는 아이였다. 딸기, 사과, 수박 혹은 연필, 공책, 책상, 그 어떤 단어에도 관심을 보이지 않던 아이 태호가 '기린'이라는 말에만 반응을 보여 몰티즈의 이름이 기린으로 정해졌다. 분리불안증을 앓는 아이처럼 어린 소년 곁에서 떨어질 줄 모르는 어린 기린은 사실 눈이 보이지 않는 강아지였다. 오로지 '기린'이라는 발음만을 좋아하는 아이와, 그 곁의 눈먼 동물에 대하여 은우는 밤새 생각하고 생각했다.

세상의 모든 어리고 늙은 동물들과, 그들의 검고 약하고 동그란 눈망울에 대하여, 인간의 언어로는 완벽히 설명할 수 없는 어떤 감정에 대하여, 인간의 눈으로는 완전히 감지할 수 없는 어떤 시야에 대하여, 거기 고인 암흑과 가느다란 빛줄기에 대하여 생각하면서 은우는 제 곁에 엎드린 작은 생명체의 메마른 등뼈를 밤새 쓰다듬고 쓰다듬었다.

아직 함께여서 다행이었다.

늙고 병든 반려견과 산책하는 일에는 인내심보다 평정심이 필요하다. 개는 자신이 아프다는 걸 인식하지 못한 채 오랜 습관에 따라 몸을 움직이려 든다. 그러다 지치고 피로해진다. 몸을 통제하기 힘들어하는 노견을 바라보면 감정이 울컥 솟구치고는 했다. 그 울컥 솟구친 슬픔은 어서 다스려져야 했다. 사슴이가 눈치채지 않도록 하는 것이 최우선이었다. 사슴이에게 슬퍼하는 모습을 보여주고 싶지 않았다. 은우는 알았다. 자신이 슬퍼할 때 사슴이는 속상해서 어쩔 줄 모른다는 것을. 눈물을 그칠 때까지, 길고 축축한 혀로 핥아주려 한다는 것을. 늙은 개에게 필요한 것은 주인의 극적인 감정 변화가 아니다. 하늘이 무너져도 여기 그대로, 네 곁에 있을 거라는 맑고 담담한 믿음이었다.

동물원과 미술관은 집에서 걸어갔다 오기에 애매한 거리였다. 가깝다고 하면 가깝고 멀다고 하면 먼 거리. 어렸을 때의 사슴이였다면 얼마든지 함께 즐겁게 다녀올 수 있었을 것이다. 걷다 달리다 다시 걷다 했을 것이다. 그러나 이제 녀석에게는 힘에 부치는 거리임을 은우는 그 도시를 골라 살러 오고 나서야 깨달았다.

그 겨울이 지나면서 개는 눈에 띄게 수척해졌다. 눈은 잘 내리지 않았으나 날씨가 유난히 매섭게 추웠다. 그동안 사슴이의 상태는 급속도로 악화되었다. 밤에는 기침이 몹시 심했고 기침이 좀 덜해지는 낮에는 자다 깨다를 반복하는 듯했다. 잠에서 깨어나서도 가만히 있었다. 말 그대로, 잠과 현실 사이에서 웅크리고 있는 시간. 몸을 한껏 둥글게 말고, 얼굴을 그 안으로 집어넣은 것 같은 자세로 미동도 없었다. 은우는 자주 사슴이에게 다가가 혹시 숨을 멈춘 것은 아닌지 확인해야 했다. 기침을 하는 밤보다, 기척 없는 낮이 더 위험했다.

한 달에 한 번은 병원에서 검진을 받아야 했다. 예약시간이 다가오면 은우는 그 며칠 전부터 일이 손에 잡히지 않았다. 사슴이를 어릴 적부터 봐온 수의사가 이제 때가 되었다는 신호를 줄까봐, 그런 신호를 혹시 자신이 알아채지 못할까봐 불안하기만 했다. 그런 순간이 오면 무엇을 어떻게 해야 하는지 알 수가 없었다. 병원 예약시간을 미루고 또 미루고만 싶었다. 그러다 차라리 병원에 데려가지 않는 것은 어떨까 하는 생각이 들기도 했다. 인간에게는 호스피스 병동이라는 것이 있지 않은가. 그렇지만 병원 예약시간이 가까워지면 어김없이 개를 품에 꼭 안고 서둘러 집을 나섰다.

개는 며칠 밤 동안 기침을 하지 않았다. 기침을 할 기력도 없는 느낌이었다. 목에 귀를 가져다 대보니 그르렁그르렁 가래 끓는 소리가 많이 났다. 사슴이는 사료에 거의 입을 대지 않았다. 좋아하던 간식과, 구운 쇠고기와, 닭죽 같은 것을 먹여보려 했지만 전혀 먹지 않았다. 오직 춥다는 듯이, 추워 죽겠다는 듯이 자꾸 몸을 떨었다.

어느 날, 사슴이가 갑자기 일어나더니 집 안 이곳저곳을 비실비실 돌아다니기 시작했다. 이 세상이 낯설다는 듯이. 마치 모든 것을 눈에 담고 싶다는 듯이. 은우는 사슴이를 품에 안았다. 너무 가벼워서 아무것도 안고 있지 않은 것 같았다. 무겁고 중요한 것이 다 허공으로 빠져나가고 앙상한 뼈대만 겨우 여기 남은 것 같았다.

남은 것을 붙잡고 은우는 울었다.

사랑하는 존재의 애도 속에서 개의 영혼은 지상을 떠났다. 은우는 울면서 그것을 받아들였다. 하나의 세계가 암흑 속에 갇혔다. ◊

나는,

생애 첫번째 기억은 강아지다. 세 살 혹은 네 살 때였다. 아버지가 퇴근길에 강아지 한 마리를 데리고 오셨다. 아주 작고 까만 아이였다. 눈은 더 새까맸다. 나는 눈을 활짝 열고 강아지를 쳐다보았다. 그러니 그것은 매혹에 관한 첫 기억이다. 강아지는 사흘 뒤에 죽었다. 그러므로 그것은 죽음에 관한 첫 기억이기도 하다.

생명과 매혹과 죽음이 뒤섞인 첫 기억으로부터 그리 멀리 온 것 같지 않다.

그후로는 반려동물을 기른 적이 없다. 내 곁에 오면 식물들도 유독 금세 시들어버린다고 말하고 다녔다. 식물도 제대로 돌보지 못하는데 어떻게 동물을 키우겠느냐고, 하나의 생명을 완전히 책임지기에 나라는 사람은 부족하고 부족하다고. 그것은 겸양의 말이 아니었다. 책임감에 짓눌리고 싶지 않다는 이기적인 고백이었다. 혹은 겁쟁이임을 자인하는 양심선언.

그러면서, 동물이 나오는 책, 동물을 기르는 사람이 쓴 책은 누구보다 열심히 사 모았다.

조은 시인의 에세이 『또또』를 자주 꺼내 읽는다. 또또는 시인이 십칠 년을 함께 보낸 반려견의 이름이다. 각각 다른 종(種)인 두 생명이 같이 보낸 긴 시간에 대한 담담한 기록이며, 한 인간이 다른 생명과의 동반적 관계를 통해 스스로에 대해 새롭게 이해해가는 하나의 특별한 성장담이기도 하다.

'극도의 예민함과 개로서는 가져선 안 될 자존심을 가졌던 개'라는 표현이 인상적이다. 자존심 강했던 그 개는 어릴 적 학대받았던 기억에서 평생 벗어나지 못하고, 정신이 아픈 채로 살았다. 그런 개에게 시인은 최고의 애정과 헌신을 바친다.

사랑이 일방적이었던 것만은 아니다. 또또는 늘 한결같은 자리에서 주인을 기다리는 것으로 제 소임을 다했다. 그들은 대등한 수평관계를 유지했다. 무더운 여름날 또또의 임종을 지켜본 작가는 마침내 이렇게 쓴다.

'내 뿌리의 본질이 무엇이든 이젠 어디로 옮겨가도 삶을 향유할 수 있다. 그걸 인식하자 미래가 너무도 명쾌하다.'

동반자로 생각했던 존재를 잃어본 적 있는 사람, 그 상실과 슬픔의 시간을 건너본 사람이라면 공감하지 않을 수 없는 문장이다.

*

가끔 과천엘 간다. 동물원이라는 제도에 대해 복잡한 생각을 가지고 있지만, 그 생각은 아직 정리되지 않았지만 그래도 동물원에 간다. 미안해하고 고마워하면서. 그곳에서 홍학도 보고 코끼리도 보고 하마도 보고 호랑이도 보았다. 물론 사슴과 기린도.

'화요일의 기린'은 아직 못 만나보았다. 토요일이나 일요일의 기린과는 다른 화요일의 기린. 기린의 화요일에 대해선 왜 궁금해하지 않았을까. 그는 어떻게 하루를 보낼까. 무료하고 심심한, 신기할 것 없는 일상 속의 하루일까? 밥을 먹고, 하늘의 구름을 올려다보고, 짹짹거리는 참새들을 바라보고, 물을 마시고, 급하지 않은 보폭으로 걷고, 가끔은 하품을 하는 하루.

자신과 다른 종인, 미지의 작은 생명체를 궁금해하는 것, 그 평범한 하루를 유심히 들여다보고 싶어지는 것. 세상 모든 사랑은 그렇게 시작된다. 다음 화요일엔 과천에 가야겠다고 결심한다. 화요일의 동물원에 가면 키 작은 기린들과 한참 동안 눈을 맞추다 돌아올 수 있을까. 그럴 수 있을까. ♦

괜찮다는 말,
괜 찮 지
않 다 는 말

그들은,

춘천역 광장에 햇빛이 어설프게 내려앉았다. 벚꽃 봉오리들이 희게 피어나고 풋내나는 바람이 불었다. 서로의 마음을 칠십퍼센트만 내비친, 연인이 되기 직전의 남자와 여자가 마주보고 터트리는 수줍은 웃음 같은 바람이었다.

다시, 봄이구나.

갓 스물이 되었을까 말까 한 어린 연인이 손을 마주잡고 걸어오는 모습을 멀리서 바라보면서 그는 생각했다.

오래 잊고 있었던 하나의 문장이 떠올랐다.

지난 사월 춘천에 가려고 하려다 못 가고 말았다.

성심(聖心)이라는 이름의 여학교가 있는 곳, 피천득 선생에게 춘천은 그런 곳이었나보다. 가려다 끝끝내 가지 못한 곳, 멀지 않은, 머나먼 곳.

> 오는 주말에는 춘천에 갔다 오려 한다. 소양강 가을 경치가 아름다울 것이다.

「인연」의 마지막 문장이다. 열일곱 살이었을 때 그는 교과서에서 그 글을 읽었다. 그는 춘천에 살았다. 외지(外地) 사람들의 그 도시에 대한 막연한 그리움은 공지천의 자욱한 새벽안개를 닮았다. 춘천에 사는 사람들은 그들의 마음을 종잡기 힘들었다.

그에게 소양호 경치가 가장 아름다울 때는 가을이 아니라 겨울이었다. 눈이 많이 내리는 도시는 흰 눈 속에서 가장 빛이 났다.

어느 날 아침 자율학습을 하고 있는데 누군가 교실 뒷문을 열고 그의 이름을 불렀다. 복도에서 기다리고 있는 것은 한 여학생이었다. 교정과 운동장에서 몇 번인가 스친 기억이 났다. 교복에 달린 이름표에 '이은'이라고 새겨져 있었다. 고운 이름이었다. 그녀가 불쑥 뭔가를 내밀었다. 한 장의 시디였다. 그는 얼떨결에 그것을 받아들었다.

"내가 누군지 잘 봐. 나를."

은이 말했다. 짧은 순간이었다. 그날밤 그는 칸막이로 막힌 독서실 책상에 앉아 시디플레이어를 꺼냈다. 조금 주저하다 재생 버튼을 눌러보았다. 이어폰에서 패닉의 〈내 낡은 서랍 속의 바다〉가 흘러넘쳤다.

은의 아버지가 춘천교도소에 갇혀 있다는 이야기를 얼마 뒤에 들었다. 누군가를 칼로 찔렀는데 그 사람이 죽었다고 했다. 이십 년 형을 선고받았다고 했다. 소년이 살아온 것보다 긴 시간이었다. 소녀가 살아온 것보다도.

자주 잠이 오지 않았다. 새벽녘 방에 누워, 삼교대 근무를 마치고 귀가한 아버지가 양치하는 소리를 들었다. 피곤에 찌든 기침 소리가 연이어 들렸다. 시디를 건넸던 은의 흰 손에 대해, 그 하나의 마음에 대해 생각했다. 시디를, 잘 열지 않는 서랍 깊숙이에 집어넣었다.

은은 언젠가부터 학교에서 보이지 않았다. 학교에 나오지 않는다고 했다. 여러 이야기들이 들렸지만 그는 들으려 하지 않았다. 이듬해 졸업을 했다. 부모님은 아들이 근처의 대학에 가길 바랐으나 그는 모르는 척 서울의 사립대학으로 진학했다. 서울에 살고 싶어서가 아니었다. 고향을 떠나고 싶어서였다.

서울에서는 한 평 가량의 자취방에서 지냈다. 춘천교도소의

독방은 얼마만할까, 라고 생각하면 은의 얼굴이 떠올랐다.

고향이 춘천이라고 하면, 닭갈비와 막국수는 실컷 먹었겠다고 열에 다섯은 말했다. "아, 춘천!" 나머지 다섯은 꿈꾸는 눈빛을 지어 보이곤 했다.

"참 낭만적인 곳이지."

어떤 것도, 그의 춘천은 아니었다.

첫번째 여름방학, 고향에 돌아와 방 청소를 하다가 시디를 발견했다. 그는 어렵게 알아낸 은의 번호를 눌러보았다. 그녀는 그를 아주 잘 기억하고 있었다. 둘은 춘천의 명동에서 만났다. 그녀는 예전보다 키가 약간 더 큰 것 같았고 많이 야윈 것처럼 보였다. 어른이 된 것 같았다.

"왜 보자고 했어?"

"이거. 고맙다고."

그가 손에 든 음반을 보고 그녀가 어처구니없다는 듯 웃었다. 그들은 밖으로 나왔다. 넓게 펼쳐진 여름 하늘에 노을빛 물감이 번져가고 있었다.

지는 해를 따라서 돌아가던 중에는 그대가 나를 떠난 것이 아니라 그대도 나를 떠난 것이라는 생각이 들었다 내가 아파서 그대가 아프지 않았다

—

박준 시 「용산 가는 길-청파동 1」 중에서

스무 살에 시작한 그 사랑은, 오랜 비밀처럼 지속되었다. 그는 그들이 꽤 괜찮은 연인이라고 생각했다.

그는 대학을 졸업하고도 쭉 서울에 머물렀다. 은과 함께였다. 일을 구했다. 불안정한 자리였다. 그러던 어느 날, 춘천의 한 회사에서 일할 기회가 생겼다. 꼭 돌아가야 하느냐고 그녀가 물었다. 그는 그 말을 귀담아듣지 않았다. 자신이 준비한 말을 하느라 바빴기 때문이다.

"다 괜찮을 거야. 내년에 결혼하자. 그때쯤에는 여러모로 안정될 테니."

은은 한참 동안 말이 없었다. 질문을 먼저 던진 쪽이 그녀였으며, 그녀는 지금 그 질문에 대한 답을 기다리고 있는 중이라는 걸 그는 알지 못했다. 그는 잠자코 있는 여자친구에게 조금 화가 났다.

"넌 서울에 살고 싶어?"

그녀는 고개를 아래로 살짝 떨어뜨렸다.

며칠 후 은이 말했다.

"춘천에 다시 돌아갈 자신이 없어."

상대의 귀에 들릴 듯 말 듯, 말끝이 뭉개지는 발음이었다. 은은 어떤 해명도 어울리지 않는 것 같다고, 너를 완전히 납득시킬 수 없을 것 같다고 말했다.

"넌 그것도 모르는구나."

은이 말했다. 그는 자신이 더이상 아무것도 할 수 없음을 인정해야 했다.

은이 떠나고 나서 얼마간 고통스러운 시간을 견뎠다. 그러다 문득 멍해지는 순간이 왔다. 길을 걷다 풀린 운동화 끈을 묶거나, 잠자리에 들기 위해 칫솔질을 하다 말고 그는 갑자기 동작을 멈추곤 했다. 평온해서, 마음이 아무렇지도 않아서. 심장을 옥죄어오던 격렬한 통증이 어느새 순해져버려서.

시간이 흘렀을 뿐인데. 계절이 바뀌었을 뿐인데.

이윽고 그녀의 통증에 생각이 미쳤다. 그녀도 아팠을 것이다. 아프지 않았을 리 없었다. 그는 그 사실을 분명히 믿었다. 먼저 떠난 사람이 덜 아플 거라는 추측은 사실이 아니다. 그는 뒤늦게 그것을 생각했다. 사랑했던 사람에 대한 인간적인 믿음 없이는 불가능한 확신이었다. 아팠더라도 너무 심하게는 아프지 않았기를, 이제쯤에는 그녀의 마음도 누긋해져 있기를 바랐다. 그 기원이 너무 뒤늦어서 가슴 저렸다.

이별의 시간에서 멀어진 후에야 그는 그녀가 내린 선택에 대해 골똘히 생각했다. 숙적과의 대국에서 아깝게 패한 바둑기사처럼 함께였던 날들에 대하여 차근차근 복기해갔다. 기억을 되돌리다보면, 바늘로 찌를 것 같은 고통 대신 때로는 작은 미소가 때로는 낮은 한숨이 때로는 회한이 찾아왔다. 어쩌면 진짜 이별은 그때부터 시작되었는지도 몰랐다.

돌이켜보면 그들은 언제나 서로를 향해 괜찮다고, 다 괜찮다고 말하는 연인이었다.

은의 아버지는 춘천교도소가 아닌 다른 곳으로 이감된 지 오래였다. 그녀가 가끔 다른 도시로 면회를 다녀온다는 건 알았지만 그녀는 그에게 함께 가자고 한 적 없고, 그는 그래야 되는지도 몰랐다. 아버지 이야기를 되도록 꺼내지 않는 것이 여자친구에 대한 최소한의 배려라고만 믿었다. 너의 두려움을 나눠 감당하겠다고 말할 용기가 없었던 건지도 모른다.

오래전 춘천에는 가장 아끼는 시디를 한 소년에게 불쑥 내민 한 소녀가 있었다.

희미하고 아득한 처음,

영원히 끝나지 않을 것만 같은 끝.

되돌릴 수 있다면, 이라고 그는 그 애도의 시간이 지나고서야 바랐다.

이 년 만에 은에게서 다시 연락이 왔다.

"춘천으로 갈게. 꼭 해야 할 말이 있어."

그들은 호텔 커피숍에서 만나기로 했다. 그 도시 번화가에 하나뿐인 오래된 호텔. 구태여 그곳을 약속 장소로 정한 은의 마음을 헤아려보려다 그만두었다. 심장이 자꾸만 빠르게 뛰었다.

그는 약속 시간 삼십 분 전에 도착했다. 1962년 지어진 호텔이었다. 눈앞에 길게 이어진 돌계단을 한참 올려다보다가 그는 허공을 향해 발을 뗐다. 계단 끝에 건물이 있었다. 나지막한 삼층짜리 건물은 마치 이 세상이 만들어졌던 때부터 그 자리에 놓였던 흰 바위처럼 단단해 보였다.

건물의 안과 밖은 시간의 흔적을 고스란히 머금고 있었다. 어떤 시간은 미풍에 실려 당도하여 천천히 내려앉는다. 온 세상이 다 변해도 한 사람의 마음속에서만은 변하지 않는, 그런 것처럼 보이는 존재가 있다는 사실을 인정해야 했다.

이 년 만에 만나는 그녀가 무슨 말을 할지, 그는 이미 알고 있다는 기분이 들었다. 무슨 말을 하든지 다 괜찮다고, 그들은 서로에게 또다시 말할 수 있을까. 처음처럼, 다시 시작할 수 있을까. ◊

나는,

괜찮다고 말하는 것에 대해서라면 나도 조금은 할말이 있다.

괜찮아. 스무 살에 알던 친구는 늘 그렇게 말했다. 어느 날 약속 시간보다 삼십 분 늦은 내가 미안하다고 사과하자 그는 미소를 지으며 괜찮다고 말했다. 그뒤로도 마찬가지였다. 내가 무엇을 잘못해도 어김없이 괜찮다고 말했다. 잘못했던 일들의 세부를 지금은 다 잊었지만, 그래도 없었던 일이 되는 것은 아니다.

그는 단 한 번도 내 앞에서 화를 낸 적이 없었다. 나는 그가 원래 화를 못 내는 사람인 줄 알았다. 그 이상은 생각하지 못했다.

한 사람과 한 사람이 만나 서로의 마음을 확인하고 사랑에 빠지고, 이윽고 흐르는 물처럼 서로에게 스며든다. 아끼고 쓰다듬고 조금씩 서로의 일상과 꿈을 나누어 가진다. 손목을 하나의 투명한 끈으로 묶는다.

처음에 그들은 행복할 것이다. 그렇다고 생각하지 않으면 이루어질 수 없는 관계다. 팽팽히 조여진 하나의 끈이 서로 다른 두 피부를 조금씩 파고들어가는 것은 모르는 척한다. 서로를 해치지 않기 위해서는 한 뼘의 거리가 필요하다는 것도.

둘은 결코 하나가 될 수 없다.

어릴 때 만나 오래도록 한 사람 곁을 지켜온 연인 사이에는 종종 그 사실이 망각되는 것도 같다. 한쪽 손목에 상처가 생긴 것을, 상처가 깊어지는 것을 모르는 척하기도 한다. 상처를 들여다보려면 끈을 풀어야 할지도 모르기 때문이다. 두려워서 그 정도는 괜찮다고, 아무렇지 않다고 생각한다. 조금 지나면 나아질 거라고, 견딜 수 있다고, 사랑하니까 괜찮다고.

어느 날, 한 사람이 문득 벌겋게 부푼 자신의 손목을 내려다보는 때가 온다. 내 살갗이 아닌 것 같아서, 낯설어서 놀란다. 한쪽의 일방적 잘못이라고 할 수 없는 이야기다.

스무 살 때 알았던 그와는 어느 날 갑자기 헤어지게 되었다.

물론 '내 쪽에서 볼 때 갑자기'였다. 무슨 일인가로 의견 충돌이 있고 난 뒤였다. 웬일로 그는 괜찮다고 말하지 않았다. 패턴이 깨졌다는 것은 불길한 조짐이다. 어떤 끝은 그토록 간단할 수 있다는 사실을 알게 되었다.

마지막 순간까지 그는 괜찮지 않다는 말을 하지 않았다. 언제부터 화를 쌓아왔는지 말하지 않았다. 사실은 지금껏 괜찮지 않은 때가 종종 있었다는 말도 하지 않았다. 나로서는 아무래도 이해할 수 없는 것들이 많았다. 나는 '괜찮다'는 형용사에 집착하는 인간이 되어갔다.

'괜찮다'의 어원은 어쩌면 '관여치 않는다'는 말에서 비롯되었을지도 모른다는 말을 들었다. 조선 중기 치열한 당쟁의 와중에서, 아무데에도 관여하지 않으면 무사할 수 있으리라는 절박한 기대가 그 언어를 만들어냈다는 가설이다.

아무 편도 들지 않으면 살아남을 수 있다. 중립을 지키면 나를 지킬 수 있다. 그래서 사람들은 기꺼이 괜찮다고 하는 것이다. 기분이 상해도, 상처를 받아도, 아무렇지 않은 척 미소 짓는 것이다. 실은 하나도 괜찮지 않으면서. 종이필터 밑바닥에 가라앉은 검은색 커피 찌꺼기처럼 갈피를 잡기 어려운 감정이 그대로 남았으면서.

천천히 시간이 지나는 동안, 그쪽의 입장도 이해하게 되었다. 보통 서사 속의 인물은 성격의 일관성을 유지한다. 괜찮지 않다는 표현을 단 한 번도 하지 않았던 캐릭터가 마지막이라고 해서 달라질 수는 없었을 것이다. 그 마음도 수긍하게 되었다. 하긴 수긍하지 않으면 어쩔 것인가. 내가 할 수 있는 일은 고작 그게 다였다.

모든 이별은 크고 작은 후유증을 남긴다. 그뒤로 나는 어떤 관계든 매사에 괜찮다고 말하는 사람 곁에는 너무 가까이 가지 않는다. 그 곁에서 마음을 푹 놓아버릴까봐, 마음을 푹 놔버리곤 부지불식간에 상대가 괜찮지 않은 일들을 하게 될까봐 먼저 몸을 사리게 된 것이다.

또 한 가지 더 있다. 나 역시 '괜찮아'를 발음할 수 있다는 사실을 자각하게 되었다는 것. 상처를 주거나 마음을 아프게 하는 상대를 지그시 바라보다가 담담하게 괜찮다고 말하는 기분은 나쁘지 않았다. 스스로에 대해 미묘한 위로가 되었다. 그것은 적은 월급의 절반을 뚝 떼어 적금을 부으면서, 만기일이 오면 한 방에 세계일주 티켓을 끊어 탕진해버리겠다는 상상을 하는 것과 조금쯤 비슷한 느낌일지도 모르겠다.

실행에 옮긴 적도 있다. 방법은 쉽다. 상대방이 잘못했을 때, 관대하게 말하면 된다.

괜찮아.

첫번째, 두번째, 세번째…… 그렇게 횟수를 쌓아갈 때마다 미리 스스로의 감정을 추슬러둔다. 그러다 더는 안 되겠다 싶은 순간, 딱 끊고 돌아선다. 상대의 어리둥절해하던 표정이 잊히지 않는다. 통쾌하거나 시원할 줄 알았다. 아니었다. 입안이 시고 썼다.

사랑에 대해, 사람에 대해, 여전히 잘 모르지만 이런 이야기 정도는 할 수 있을 것 같다.

상대에게서 '무슨 말을 듣든 다 괜찮다고 또다시' 말할 거라면, 다시 시작하지 말라고. 괜찮을 땐 괜찮다는 말을, 괜찮지 않을 땐 괜찮지 않다는 말을, 여하튼 언제나 당신의 진심을 말하라고.

서로에게 관여하지 않는 '좋은 관계'란 어디에도 없으니 말이다. ♦

안과 밖

그들은,

도시의 봄은 더디게 온다. 하영은 봄을 기다리지는 않았다. 휴학과 복학을 거듭하며 가까스로 대학을 졸업하니 훌쩍 삼월이 되어 있었다. 삼월 첫 주가 지나도 날이 찼다. 아르바이트를 위해 집을 나설 때면 패딩 점퍼의 지퍼를 턱밑까지 올려 잠가야 했다.

그 무렵 그녀는 카페에서 일했다. 손님이 흰 머그잔에 무엇인가를 묻히고 갔다. 회갈색 얼룩이었다. 특이한 색깔의 립스틱인가 하면 그것도 아니었다. 세제 거품을 잔뜩 내어 오랫동안 닦아도 지워지지 않았다. 수세미로 박박 문질러도 안 되었다. 하영은 고무장갑을 던져놓고 밖으로 나왔다.

제주는 처음이었다. 공항에서 100번 버스를 타고서 제주시외버스터미널로 갔다. 동 일주 노선버스가 있었다. 유리창 너머로 잔잔한 풍경들이 지나갔다. 자꾸 졸음이 쏟아졌다. 버스는 그녀를 작은 마을 정류장에 내려놓았다. 예약한 게스트하우스에 가려면 어떻게 해야 하는지 난감했다. 오직 거기 도착하는 것만이 목표라는 듯이 그녀는 열심히 걸었다. 멀리 이층집 한 채가 보였다. 나흘 밤을 머물 곳이었다. 문을 열자, 한 남자가 보였다.

키가 훌쩍 크고 눈매가 선한 사람이었다. 그가 두르고 있는 남색 앞치마는 그녀가 카페에 풀어두고 온 그것과 똑같았고, 그가 손에 든 흰색 머그잔은 그녀가 빡빡 문질러 닦다 포기한 것과 똑같았다. 꿈인가 싶어 그녀는 눈동자에 힘을 주었다. 어떤 일이 일어나겠구나, 하는 예감이 아주 빠른 속도로 스치고 지나갔다. 그런 것은 누가 알려주어서 아는 것이 아니었다.

"오 분 걸어가면 바다가 나와요."

"바다……요?"

그들이 나눈 첫 대화였다. 멀지 않은 곳에 바다가 있다. 그 말이 가슴에 스며들었다. 멀지 않은 곳에서 봄이 오는 소리를 그녀는 분명히 들었다.

동희는 일상에서도 술자리에서도 말이 없는 편이었다. 사람들은 그를 잔재미는 없지만 믿을 만한 친구라고 생각했다. 그는 꽤 큰 회사의 연구원이었다. 선배들은 그에게 어서 박사과정에 진학하라고 충고했다. 미래를 위한 준비가 더 늦어지면 인생의 장기플랜이 어그러진다고 했다. 그런 말을 들을 때도 그는 여느 때처럼 과묵했으며 표정에 변화가 없었다.

동희가 사직서를 제출하던 날, 어떤 사람들은 경쟁사에 스카우트되었다 짐작했고 어떤 사람들은 그의 집안에 피치 못할 사정이 생겼을 거라고 추측했다. 모두 아니었다. 그는 제주행 비행기에 몸을 실었다. 그곳에 지인은 아무도 없었다. 짐은 배낭 하나뿐이었다. 스쿠터를 빌려 해안을 달렸다. 비가 오면 얇은 일회용 우의를 뒤집어쓰고 달렸고 해가 쨍쨍 내리쬐면 반팔 소매를 어깨까지 걷어올리고 달렸다. 그러다 지치면 바닷가에 앉아 하염없이 바다를 바라봤다. 어떤 오후에는, 부서져 뭍으로 밀려드는 파도의 개수를 세어보았다. 또 어떤 오후에는, 모래를 우묵하게 파서 한 명이 누울 자리를 만들고 그 안에 들어가 누워보았다. 보기보다 아늑했다.

열흘이 지났다. 묵고 있던 게스트하우스의 주인남자가 먼저 말을 걸어왔다.

"금방 가실 건 아니죠?"

그는 같은 질문을 스스로에게 해보았다. 아니라는 대답은 떠오르지 않았다. 주인남자는 혹시 스태프로 일해보지 않겠냐고 제안했다. 게스트하우스와 거기 붙어 있는 작은 카페를 관리해주면 된다고 했다.

일하는 날은 일주일에 나흘이었다. 그동안은 게스트하우스의 안팎을 청소하고 침대 시트를 바꾸고 더러워진 시트와 수건들을 세탁기에 빨았다. 해보지 않은 일이었다. 나머지 사흘은 자유였다. 오 분 거리에 바다가 있었다. 매일 아침을 먹고 나면 바다로 걸어갔다. 친구들도 생겼다. 근처 다른 게스트하우스나 카페 등에서 일하는 젊은이들이었다. 나이도, 전에 하던 일도 각양각색이었지만 빠르게 가까워졌다. 섬에, 무작정 내려왔다고 말하는 이는 없었다. 무작정인 것과 무작정이 아닌 것을 구분하기 어렵다는 것을, 종잇장을 반으로 접어 맞추듯이 분명한 것은 우리 생에 그다지 많지 않다는 것을 그는 알아가고 있었다.

하영이 손님으로 오던 날 밤에는 카페 앞마당에서 작은 파티가 열렸다. 친한 사람 몇몇이 모여 맥주를 마시는 작은 자리였다. 해가 아직 남아 있는 저녁, 그녀는 산책자의 차림으로 혼자 마당에 들어섰다. 동희는 이따 조금 시끄러울지도 모른다고 양해를 구했다. 괜찮으시면 함께해도 좋다고 말하자 하영이 살며시 고개를 끄덕였다.

하영의 왼쪽 복숭아뼈에는 나비 모양 타투가 있었다. 걸음을 옮기면 나비는 금세 창공으로 날아오를 것 같았고 걸음을 멈추면 나비도 따라서 날개를 움츠리는 것 같았다. 게스트하우스 마당의 작은 파티가 끝난 밤, 동희가 청소를 하는데 하영이 다가왔다. 하영은 말없이 동희를 도와 움직였다. 널브러진 접시를 걷어 싱크대로 옮기고, 대빗자루로 바닥의 쓰레기를 쓸었다.

"혼자 해도 되는데요."

"같이 하면 빠르잖아요."

청소가 다 끝나고 나서 그들은 마당에 놓인 의자에 나란히 앉았다. 풀벌레가 가까운 곳에서 울었다. 아까 바다에 갔었다고 하영이 말했다. 어땠는지 동희가 물었다.

"좋더라고요. 좋은 바다였어요."

요란스러운 감탄사가 아니라, 그저 좋다는 말이 가장 잘 어울리는 바다여서 동희도 그 바다가 좋았다. 그 밤에 그들은 이어폰을 나눠 끼고 같은 음악을 들었다. 같은 음악 속에서 같은 하늘을 보았다.

하영이 숙박 일수를 연장했다. 연장된 섬의 시간 동안 그들이 특별한 일을 한 것은 아니었다. 시간이 날 때마다 함께 앞바다에 나가 좋은 바다를 바라보았다.

그녀가 서울로 돌아가기 전날 밤, 동희는 편지를 써야겠다고 생각했다. 손으로 직접 쓴 편지. 즐거웠다고, 행복했다고,

고마웠다고 쓸 수도 있었다. 그러나 아무것도 쓸 수 없었다. 그런 말들은 과거형이기 때문에. 몇 시간 뒤 이 섬에는 그녀가 없을 것이다. 자신이 느끼는 상실감이 퍽 깊다는 것에 동희는 놀랐다. 그는 문득 하영이 지금 돌아가는 곳이 어디인지를 깨달았다. 자신이 떠나온 곳, 서울이었다.

간단했다. 자신도 다시 그곳으로 돌아가면 되었다. 그러면 그들은 과거형에 갇히지 않아도 되었다. 하영을 따라 비행기를 탄다면 그들은 보통의 연인이 될 수 있었다.

어떤 기약도 없이 그들은 헤어졌다. 동희는 공항까지 하영을 따라왔고, 마지막 순간까지 그들은 서로의 손을 만지작거렸지만, 다음, 이라는 말은 아무도 하지 않았다. 하영은 떠났고 동희는 남았다.

집에 도착해 여행 가방을 방바닥에 내려놓고 침대에 걸터앉아 양말을 벗다가 하영은 무심코 발목을 보았다. 나비가 없었다. 당연한 일이었다. 그것은 진짜 타투가 아니라 타투 스티커일 뿐이었다. 스티커를 붙일 때에는 일주일 만에 감쪽같이 사라진다는 특성이 그녀를 매혹시켰었다.

이럴 줄 알았으면 나비의 사진이라도 찍어둘 걸 그랬다고 그녀는 후회했다. 하영은 동희에게 메시지를 보냈다. 잘 도착했어요, 보고 싶어요. 답장은 오지 않았다. 한참 뒤에 답이 왔다.

— 나도 보고 싶어요.

여기서 자신이 할 수 있는 선택은 둘 중 하나임을 하영은 깨달았다. 멀리서 계속 좋아하거나, 그렇지 않거나.

섬 밖의 시간은 그대로 흐르고 있었다. 하영은 그 안과 밖의 낙차에 적응할 새도 없이 일상의 리듬에 몸을 맞추어야 했다. 다시 아르바이트를 알아보기 시작했고, 토익 학원과 전산회계 학원에 등록했다. 동희와의 연락은 끊어지지 않았다. 하루에 한 번이나 두 번, 그들은 주로 모바일 메신저를 통해서 연락했다.

아직은 거기에 더 있고 싶다는 것이 동희의 말이었다. 동희는 가끔씩 사진을 보내왔다. 그들이 함께 좋아하던 그 바다 사진이 가장 많았다. 하영은 학원 화장실의 세면대에서 손을 씻거나 편의점에서 저녁으로 먹을 샌드위치를 고르다가 메시지를 받고는 했다.

하영은 너무 늦기 전에 고맙다는 답장을 보냈다. 자신도 뭔가를 찍어 보내면 좋겠다고 생각했지만 자신이 사는 세계에는 그럴 만큼 근사한 풍경은 존재하지 않는 것처럼 느껴졌다. 하영이 취직을 하고 나서는 연락의 간격이 더욱 벌어졌다. 출근을 시작한 지 일주일째, 정신없이 바쁜 하루를 보내고 지쳐 퇴근하는 지하철 안에서 전화기가 울렸다. 동희였다. 그는 지금

도착했다고 말했다.

"어디를요?"

하영이 물었다. 동희가 대답했다.

"집이요. 여기 서울이에요."

그녀는 짧은 감탄사를 뱉었다. 그들은 이제 같은 도시에 있었다. 그들의 집은 지하철로 이십 분이면 되는 거리였다. 보고 싶다면 언제든 볼 수 있는 거리. 그 앞에서는 여러 핑계들이 무색해질 것이다. 하영이 탄 열차는 흔들리며 앞으로, 앞으로 나아갔다. 점점 더 먼 곳으로 가고 있는 것만 같았다. ◊

나는,

제주에 머문 적이 있다.

생애 첫 장편 연재를 시작하고 한 달이 채 못 지났을 때, 그러니까 꽤 오래전의 어떤 가을이었다. 숨어들어갔다고 해도 맞고, 스며들어갔다고 해도 맞다. 그래야 연재 원고의 진도를 놓치지 않고, 숨도 좀 쉴 수 있을 것 같았다. 아니다. 나는 그저 '안'이 아니라 '바깥'에 있기를 간절히 바랐다. 모든 것이 너무도 익숙한 내 작은 방에서는, 한 글자도 더 쓸 수 없을 것 같았다. 내 상상력이 닿는 범위의 가장 현실적인 밖이 바로 그 섬, 제주도였다.

제주에 아는 사람이라고는 없었다. 함덕에 숙소를 잡았다.

바다가 보이는 방이었다. 작은 차를 빌려서 섬의 여기저기를 돌아다녔다. 혼자 회도 떠다 먹고, 치킨도 사다 먹고, 『씨네21』을 찾아 캄캄한 밤중에 서점을 찾아가기도 했다. 차에는 내비게이션이 없었다. 사람들에게 물어물어 그린 지도를 들고 운전석에 앉았다. 밤의 도로를 달렸다.

서점이 있을 것 같지 않은 곳에 서점이 있었다. 참고서나 수험서 같은 걸 파는 곳이 아니었다. 내가 좋아하는 책들이 좁은 공간 안에 꽉 들어차 있었다. 조금은 무뚝뚝한 표정의 주인은 아직 그 잡지가 입고되지 않았다고 했다. 여긴 섬이라 며칠 늦게 도착해요. 내일모레 다시 오세요. 이틀 뒤에 다시 찾아갔을 때 그 어렵던 길이 너무도 쉽게 찾아졌다. 여기서 오른쪽으로 꺾으면 주유소가 나오고 주유소를 지나 다음 골목에서 왼쪽으로 들어가면 된다는 것을 인지했기 때문이다. 지난번엔 눈에 안 띄던 작은 입간판도 볼 수 있었다. 초행이란 가늠할 수 없어 아득해진다는 의미일 것이다.

그 섬에서 아무 일도 없었지만 많은 일이 있었던 것 같은 착각이 든다. 똑같은 바다는 아침과 낮과 저녁에 각각 서로 다른 바다가 되었다. 그 바다들을 바라보며 아무것도 생각하지 않았다.

잊고 살았는데, 몇 해 전에 느닷없이 그 섬이 그리워졌다. 막연한 그리움이었다. 그것은 호되게 앓고 난 유년의 어느 아침, 엄마가 끓여놓은 따뜻한 쌀미음의 맛을 그리워하는 감정을 닮았다. 예전에 머물던 그 마을에 머물 만한 집이 없는지 알아보았다. 있었다. 오래전에 지은 농가주택인데 집은 아주 작지만 마당이 넓다고 했다. 말을 전해준 이는, 원하면 당장 들어가 살 수도 있으니 가능한 대로 빨리 내려와보라고 했다. 망설이다가는 놓치기 십상이라고. 이런저런 이유로 머뭇거리다 제주행을 미루는 사이, 다른 사람이 그 집에 살게 되었다는 이야기를 들었다.

애초부터 불가능한 사랑을 놓친 것처럼 안도감과 허전함이 동시에 들었다. 놓친 것이 어디 그런 것들뿐이겠느냐마는.

그러고 보면, 때마다 늘 내 발목을 잡은 건 '이런저런 이유'들이었다. 내가 떠나면 남겨질 것들에 신경쓰여 제대로 떠나지 못했다. 떠났다가도 오래지 않아 되돌아오곤 했다. 사람에 대해서도 비슷한 태도를 가졌다. 누군가와 친해지기도 전에, 친해지고 나서 아주 오래 뒤에 겪을 일까지 미리 추측하여 염려하기도 했다. 훗날을 약속하거나 영원을 다짐하는 말 같은 것도 먼저 해본 적이 없다. 그럴 일은 없길 바라지만, 언젠가 내 삶의 회고록 같은 것을 써야 한다면 가장 정직한 제목은 '비겁에 대하여'가 될지도 모를 일이다.

여행지에서 만난 이와 사랑에 빠졌다가 일상으로 돌아와 이별을 맞은 경우를 여럿 알고 있다. 그 이별엔 또 '이런저런 이유'가 있다고 설명되곤 하지만, 아니라는 것을 우리는 안다. 낯설고 매혹적인 시공간을 공유했다는 우연이 둘을 특별한 운명의 관계로 이끌었으나, 시공간이 달라지면 그 마법의 힘이 사라지기도 한다는 것을.

마법은 시공이 바뀔 때만 사라지는 것도 아니다. 삶의 바깥을 꿈꾸며 섬으로 간 사람에게 그 섬이 어느덧 일상으로 느껴지는 순간이 올 때도 있다. 이제야 고백하자면 오래전 그 가을, 내가 이제 제주를 떠나야지, 결심하게 된 것은 그 작은 서점에 가는 길이 더이상 설레지 않아서였다.

지체 없이 짐을 꾸려 제주를 떠난 이유는, 환상이 멸하는 순간을 조금이라도 연기해보고자 하는 안간힘 때문만은 아니었다. 두고 온 진짜 내 방, 벗어나고 싶기만 하던 그 '안쪽의 세계'가 갑자기 어마어마하게 그리워졌기 때문이다.

그녀가 제주와 서울에 걸쳐 이어졌던 지난 사랑의 기억에 대해 내게 들려준 것은 가로수길의 맥줏집에서였다. 그녀의 이야기엔 결말이 있다. 나는 어떤 부분에서 그 이야기를 그만 정지해보았다. 아직 어떤 결말도 지어지지 않은 상태로, 한 장의 스크린 샷처럼 그렇게 그 한때를 멈춰두고 싶었다.

지금은 잠시 회사에 다니고 있지만 조만간 다시 그 섬에 가려 한다고 그녀는 고백했다. 그 말을 할 때의 표정을 기억한다. 이번에는 지난번보다 더 오랜 시간 머물게 될 거라고, 그렇게 되었으면 좋겠다고 말하는 그녀에겐 설렘의 기운이 가득했다. 그 섬이 아직 꿈꿀 수 있는 바깥 공간으로 남아 있다는 증거였다.

그것으로 충분하다고 나는 생각했다. 꿈을 꾸었던 기억, 꿈을 향해 떠났던 기억만은 영원히 사라지지 않을 테니까. ♦

여행의 기초

그들은,

두 사람이 여행을 떠나기로 했다. 목적지는 동해안. 자동차를 운전해서 갈 것이고, 금요일 저녁에 떠나서 일요일에 돌아올 것이다. 그 외에 또 무슨 계획이 필요하단 말인가? 윤은 그렇게 생각했다.

윤과 선은 그 약속을 삼 주일 전에 정했다. 그즈음이면 윤의 직장에서 한창 바쁜 일도 어느 정도 마무리될 것이고 주말에 붙여 하루 월차를 낼 수 있을 거였다. 선도 마침 그때 시간이 난다고 했다. 지금 다니는 일터에서 다른 곳으로 옮기면서 며칠의 여유가 생기는 때였다. 둘은 누가 먼저랄 것도 없이 짧은 여행을 떠나기로 의기투합했다. 겨울 바다를 보러 가자는 말도 누가 먼저 했는지는 기억나지 않았다. 그러나 동해!라고 외치곤 둘이 얼굴을 마주보고 환히 웃었던 것만은, 분명하게 기억난다.

여행을 일주일 앞둔 날, 윤은 메일을 한 통 받았다. 선이 보낸 것이었다. HWP 파일이 첨부되어 있었다.

제목은, 플랜A였다.

그들이 속초에서 보낼 하루하루가 거기 계획되어 있었다. 이를테면 이런 방식.

첫날, 오전 아홉시 출발. 목적지까지 두 시간 내지 두 시간 삼십 분 소요 예정. 숙소:K리조트, 노선:올림픽대로-춘천고속도로-서울양양간고속도로-양양IC 진출-양양속초간해안도로. (1안:내린천휴게소, 2안:홍천휴게소)

도착 후 점심식사 (1안:막국수, 2안:생선구이, 3안:물회)

그리고 그 밑에는 유명한 막국숫집과 생선구잇집과 물횟집이 각각 서너 개씩 깔끔하게 정리되어 있었다.

그런 방식으로, 셋째 날까지 선은 속초 여행의 계획을 빼곡히 담아놓았다. 여러 경우의 수를 고려하는 것도 잊지 않았다. 비가 올 경우, 날이 추울 경우, 기념품이 사고 싶어질 경우, 커피가 마시고 싶어질 경우, 빙수가 먹고 싶어질 경우…….

파일을 닫으며 윤은 생각했다. 이거, 미리 여행을 다녀온 기분이잖아.

그리고 깨달았다. 플랜A. 만약 자신이 이 계획을 마음에 들어하지 않는다면, 선은 당황하지 않고 플랜B를 제시하리라는 사실을. 그 말은 곧, 구체적인 계획이 없는 여행은 선의 마음에 존재하지 않는다는 의미였다.

— 어때?

선이 메시지로 물었다.

— 음, 여행사의 안내서 같았어.

윤이 대답했다.

— 왜 답장 안 해?

— 음, 생각 좀 해보려고.

윤은 거짓말을 했다. 그것은 정말로, 진심이 아니었다. 윤의 진심은 그러니까 이것이었다.

— 미안해. 나는 그런 생각은 한 번도 해본 적이 없어.

윤으로 말하자면, 즉흥성과 충동성이야말로 인생의 진정한 묘미라고 믿어 의심치 않는 편이었다. 내킬 땐 내키는 대로 하는 것이 윤의 여행이었다.

그래도 약속했으니 떠나는 수밖에.

말로 설명하기 힘든 여행이 되리라 윤은 각오를 단단히 했다.

아니나 다를까 미리 작성된 초안을 바탕으로 그때그때의 계획을 공들여 완성하고 그것을 충실히 이행하는 순간순간이 이어졌다.

선은 가보고 싶은 장소들을 꼼꼼하게 정리해왔고, 그곳들을 양껏 둘러보기 위해 가장 합리적인 동선을 고민하여 계획을 짰다.

윤이 경험해본 적 없는 세계였다.

지금껏 윤의 여행들은 즉흥적이고 충동적인 방식으로 이루어져왔다. 배가 고프면 먹고, 배가 안 고프면 먹지 않았다. 이 지역에 어떤 맛집이 있을까 찾아본 적은 없었다. 밥을 먹어야 할 때면 주위를 둘러보고 가장 나을 것 같은 곳을 골랐다. 실패할 적도 많았지만 그러려니 했다.

전적으로, 감(感)에 의존하는 여행. 그것이 윤의 방식이었다면, 전적으로 '표'에 의존하는 여행, 그것이 선의 방식이었다.

선은 간혹 윤의 의견을 물었다.

"아무거나. 난 다 좋아."

윤은 대답했다.

"정말?"

선의 눈빛에 의혹이 섞여 있었다.

문제는 두번째 날 저녁에 일어났다. 생선회를 먹자는 데에는 의견 일치를 보았지만 그다음부터는 의견이 갈렸다. 편안하게 근처 항구의 아무 횟집에나 들어가 안주가 될 만한 해산물과 술을 먹었으면 하는 것이 윤의 바람이었다. 선은 '근처 항구의 아무 횟집'이란 바가지를 쓸 만한 조건을 모두 갖춘 곳이라고 했다. 어떻게 믿을 수가 있느냐는 것이다. 선에게는 두 개의 플랜이 있었다. 인터넷 검색을 통해 알아낸 두 군데의 횟집은 음식의 가성비가 좋고, 친절하고, 서비스 음식이 많이 나오기로 유명하다고 했다.

그들이 찾아간 첫번째 집은, 문이 닫혀 있었다.

'집안 사정으로 사흘 쉽니다.'

안내 문구만이 문에 붙어 있었다.

두번째 집에 가기 위해서는 자동차로 이십여 분을 달려야 했다. 주차장에 들어가기부터가 쉽지 않았다. 직원은 그들을 반기는 기색 없이, 몇 명인지 묻더니 대기번호표부터 뽑으라 했다. 그들의 앞에 대기하는 팀이 열다섯이라고 했다.

"한 시간은 안 걸리실 거예요."

좁은 대기실에 어떻게든 엉덩이를 붙이고 앉아보려는 윤과 달리 깊은 한숨을 내쉰 건 선이었다.

"야, 괜찮아?"

윤이 선에게 물었다. 선은 금방이라도 울 것 같은 표정이었다.

"미안해. 다 나 때문이야."

"뭐가 너 때문이야?"

"내가 계획을 철저하게 못 세워서 그래. 넌 나만 믿고 다 따라와줬는데. 내가 바보같이 허술해서."

그들은 대기실을 나왔다. 그곳에서 제일 가까운 음식점은 돼지갈비 전문점이었다. 주차장에 다른 차는 없었다. 반쯤 졸고 있던 것 같은 주인이 반색하며 그들을 맞이했다.

손님이라곤 그들 둘뿐이었다.

"세상에. 저런 유명한 식당 옆집에서 이 정도라니. 무지 맛이 없나보다."

선이 소곤거렸다.

"그래. 우리 오늘 얼마나 맛없나 한번 먹어보자."

둘은 키득거렸다.

그 집의 돼지갈비는 그저 보통의 맛이었다. 달짝지근한 돼지갈비 양념에 잰 고기일 뿐, 특별히 뛰어나지도 형편없지도 않았다. 모처럼의 낯선 여행지에서 먹기에는? 너무도 평범해서 오래 추억할 수 있는, 그런 맛인지도 몰랐다.

후식으로 나온 오미자차 역시 평범한 맛이었다. 종이컵 속의 음료를 홀짝이며 윤이 물었다.

"그런데 너는 왜 늘 계획표를 짜?"

고개를 내리깔고 선이 대답했다.

"안 그러면 불안해서. 나는 말이야, 계획이라도 잘 세워놓지 않으면 아무것도 할 수 없을 것 같아."

"왜?"

"내가 나 자신을 어떻게 믿어?"

"야, 아니야!"

윤은 자신도 모르게 손사래를 쳤다.

"너는 내가 아는 가장 믿을 만한 사람이야."

윤은 선의 손을 잡고 또박또박 말했다.

"계획표 안에서도, 밖에서도 말이야."

그리고 덧붙였다.

"친구야, 내가 보증해!"

아무도 짐작하지 못했던 밤이, 천천히 깊어갔다. ◊

나는,

누구에게나 자신만의 여행스타일이 있다. 나는 여행 전에 교통편과 숙소를 예약하고 나면 준비가 끝났다고 생각하는 편이었다.

여행의 큰 윤곽은 정해두되 세부적인 계획은 세워두지 않았다. 유명한 관광지를 일부러 피하지는 않지만 현지 사정으로 여의치 않으면 미련 없이 포기했다. 날이 궂으면 숙소 옆 카페에 앉아 사람 구경하는 편이 더 행복했다.

그런데 언젠가부터 바뀌어갔다. 검색이라는 것을 하게 되면서부터, 스마트폰으로 현지의 정보를 실시간으로 찾을 수 있게 되면서부터다.

인터넷 검색창에 지명의 앞글자만 입력해도 검색어들이 자동 완성된다. 그 검색어들을 따라다니다보면 미지의 도시가 어떤 곳인지 윤곽이 잡히는 것도 같다. 어떤 곳에 가든 여행이란 결국 '먹고, 자고, 보고'의 연속임이 새삼스럽다.

이 과정에서 가장 중요한 참고자료는 이미 그곳을 다녀온 이들의 후기이다. 여행지를 이미 경험해본 '선배'의 한마디 한마디는, 아직 경험하지 못한 사람에게 엄청난 위력을 발휘한다. 나 역시 오랜 고민 끝에 예약한 숙소가 위생상태가 좋지 않다는 평을 뒤늦게 읽고는 예약을 취소한 적도 있다. 몇 명의 블로거가 '다시 와도 묵고 싶다'고 기술한 곳을 엄선하여 새로 예약했다. 이미 방문했던 이들의 SNS 속 사진들은 결정의 순간마다 큰 도움이 되었다.

재작년의 여행도 그랬다. '선배'들이 알려준 대로 공항에서 모노레일을 타고 숙소에 도착했다. 공항에서 모노레일 타는 방향을 몰라 잠시 멈칫거렸지만 스마트폰으로 검색하여 쉽게 찾을 수 있었다. 호텔 건물 로비에는 아무것도 없이 승강기 한 대만 놓여 있었는데 일행이 당황할 때 내가 아무렇지 않았던 건 프런트 데스크가 일층이 아니라 십층에 있다는 걸 숙지하고 있었기 때문이다. 체크인을 하고 객실에 들어섰다. 창밖으로 보이는 하늘 빛깔과 작은 배 몇 대가 정박중인 항구의 풍경은 '선배'들의 후기에서 여러 번 본 것이었다. 맞게 찾아왔구나 싶어

안도가 되었다. 긴장이 탁 풀렸다.

어떤 곳에 가도 상황은 비슷했다. 그러니까 이런 식이다. 시립박물관 근처에 몇 군데 식당이 있긴 하지만 모두 비싸기만 하고 맛이 없으니 힘들더라도 몇 블록 걸어서 A식당에 가야 한다는 것. 같은 골목에 여러 유사한 점포가 있지만 꼭 그 집에 들어가야 한다는 것. 그곳에 가면 종업원이 권하는 대로 세트 메뉴를 시키면 안 되고 이러저러한 단품을 시켜 나눠 먹으라는 것. 식사를 마치고 나면 길을 건너가 아이스크림을 먹어야 하는데 즐비한 가게 중에서 세번째 가게가 가장 친절하고 양도 많이 준다는 것. 아이스크림을 다 먹고 나면 그 앞 시장에 가 쇼핑을 해야 한다는 것. 구석구석 돌아볼 필요는 없으나 이러저러한 제품들은 저렴하고 질도 좋으니 선물용으로 구입할 만하다는 것.

그 기억할 만한 조언에 따라 나는 일행을 이끌고 재빠르게 움직였다. 박물관을 나와 A식당까지 가는 길은 머나멀었다. 무더운 날씨에 땀을 뻘뻘 흘리며 간신히 찾아간 식당은 그러나 문이 닫혀 있었다. 정기휴일을 미리 검색하고 오지 않은 스스로에게 화가 났다. 다들 배가 고프니 신경이 예민해져 있었다. 그냥 보이는 곳 아무데나 들어가는 게 어떠냐고 누군가 제안했다. 근처 다른 식당은 비싸고 맛없으므로 '절대 비추'라는 충고가 떠올랐다. 나는 단호히 안 된다고 소리치고는 스마트폰을 꺼내 검색을 시작했다. 와이파이는 연결되지 않고 태양만이 사정없이 내리쬈다. 행복하기 위해서가 아니라 다만 실수하지 않기 위해서 여기까지 걸어온 것 같았다. 전화기를 집어넣고 눈에 보이는 아무 식당에나 들어갔다.

아무리 검색해도 그 어떤 블로그에도 나오지 않는 그곳에서 갓 튀겨낸 닭튀김에 맥주를 마셨다. 최고의 맛이었다.

*

얼마 전엔 한 후배와 여행을 다녀오게 되었다.

어떤 숙소를 예약하는 게 좋겠냐는 내 물음에 그녀는 당혹스러운 표정을 지었다. 지금껏 전 세계를 돌아다녔지만 단 한 번도 미리 숙소를 정해둔 적이 없단다. 다른 여행자들의 후기를 읽어본 적도 없다고 했다. 그럼 어떻게 하느냐고? 비행기 안에서 여행서를 대충 훑어본 후 현지 공항에 내려서 그날 기분에 따라(!) 한 군데를 찾아간단다.

"만약 빈방이 없으면?"

그게 무슨 걱정거리가 되냐는 표정으로 후배가 웃었다.

"그 근처에 또다른 데가 있겠죠!"

"없으면?"

"설마 잘 데가 없겠어요. 세상이 이렇게 넓은데."

그녀가 명쾌하게 웃었다. 나도 따라 웃었다. ♦

지 상 의 유일한 방

그들은,

우연이라는 단어가 없었다면 세상의 어떤 사랑도 존재하지 않을 것이다. 먼 곳에 살던 수연이 이 도시에 온 건 삼 년 전이었다. 여기 살게 된 건 우연의 산물이었다. 이곳으로 오라고 권유한 건 '아는 언니'였다. 언니는 마침 너한테 딱 맞는 일이 있다고 말했다. 그녀는 그 말을 믿었다.

서울역에서 내리면 무조건 1호선을 타라고 언니는 말했다. 그다음에 부평역까지 오면 된다고 했다. 부평역에 도착했을 때는 이미 해가 진 뒤였다. 언니가 데리러 나왔을 때까지도 그녀는 그곳이 '인천시'인 줄 몰랐다. 언니는 빠르게 걸었다. 그들이 도착한 곳은 좁은 골목 안쪽의 다세대주택이었다. 지하 계단을 내려가 현관문을 여는 순간 그녀는 무언가 잘못되었음을 직감했다. 족히 열 켤레는 넘을 것 같은 여러 종류의 신발들이 현관 앞에 어지러이 널려 있었다. 좁은 공간엔 사람들이 많았고 그보다 종이상자들이 더 많았다. 상자의 크기는 다양했는데 큰 것은 공기청정기나 자석요, 작은 것들은 건강식품이나 샴푸 등속이었다.

"제일 먼저 폰을 압수당했어. 그때 뒤도 안 보고 뛰쳐나왔어야 되는 건데. 내가 그냥 도망치면 언니가 너무 난처할 것 같아서."

나중에 수연이 말했을 때 상혁은 대답 없이 그녀의 손을 잡아주었다. 거기서 일주일을 지내고 빠져나온 대가는 꽤 컸다. 새로운 카드빚 삼백만 원이, 이미 가지고 있던 학자금 대출액에 더해졌다. 스물두 살에서 스물세 살로 넘어가던 겨울, 그녀의 이름으로 된 빚은 천만 원이 넘었다.

손으로 직접 만져봤으면 현실감이 좀 있으려나. 그녀는 가끔 궁금했다. 깊이 생각할 틈은 없었다. 너무 바빴기 때문이다. 일을 하느라, 그리고 나머지 시간에는 쓰러져 자느라.

인천광역시 부평구 부평동 224-1. 1호선 부평역 지하에 위치한 부평역 상가는 우리나라 최대의 지하상가다. 수연은 그 사백여 개가 넘는 점포들 중 한 곳에서 일하기 시작했다. 처음엔

최저 시급을 받는 아르바이트생이었고 이제는 월급을 받는 매니저가 되었다.

상혁과 처음 만나게 된 건 그 사이의 어떤 하루다. 역시 대수롭잖은 우연이었다. 그녀가 일하는 여성복 매장의 알바가 상혁이 일하는 휴대폰 대리점의 알바와 친구 사이였다. 우연히 술자리에 합석을 했고 그들도 곧 친구가 되었으며 얼마 지나지 않아 연인이 되었다.

상혁의 존재가 없었더라도 시간은 지났겠지만 더 힘들게 지났을 것이다.

그 도시는 밤이 되면 사막처럼 넓고 막막해졌다. 상가가 문을 닫는 밤 열시가 넘어서야 두 사람은 만날 수 있었다. 그녀는 원룸에서 룸메이트와 함께 살았고, 그는 그보다 조금 더 큰 집에서 형제들과 함께 살았다. 둘이 만나 늦은 끼니를 때우고 나면 시간은 자정에 가까웠다. 24시간 커피숍에라도 마주앉으면 엉덩이를 붙였다는 이유만으로 졸음이 몰려왔다.

심야택시를 타고 각각의 숙소로 돌아가는 대신 하룻밤 몇만원의 숙박료를 지불하고 한 공간에 몸을 내려놓는 것이 합리적인 선택으로 느껴졌다. 하루 동안 온갖 냄새에 찌든 옷을 벗어놓고 사랑하는 사람의 손에 손을 포갠 채 누웠다가 스르르 잠드는 것. 일주일에 한 번씩은 그렇게 되었다.

부평역 뒤에는 모텔이 많았다. 일 년 사이에 그들은 여러 곳을 이용해보았다. 수연은 한 번 간 곳에는 웬만해서는 다시 가고 싶어하지 않았는데 상혁은 잘 이해하지 못했다.

"카운터에서 손님 몰라보는 거 같지? 모르는 척하는 거야. 같은 사람끼린데 두어 번 얼굴 스치면 다 기억해."

"그게 싫어?"

"난 싫어."

상혁이 한숨을 쉬었다.

"손님을 꼭 알아보는 건 아니야. 내 경우도 그래. 저들은 단골이라 해도 난 생판 처음 보는 얼굴이 얼마나 많은데."

수연은 더 크게 한숨을 내쉬었다. 그녀가 생각하기에 상혁의 가장 큰 문제는 바로 그 점이었다. 판매직 경력으론 그가 그녀보다 앞섰지만, 그녀가 한군데서 쭉 성실히 일을 배워온 데 비해 그는 이런저런 업장을 떠돌아다녔다. 툭하면 일을 그만두는 데 대단한 이유가 있는 것도 아니었다. 쉬고 싶어서, 적성에 안 맞는 것 같아서, 다른 의미 있는 일을 찾아보고 싶어서. 그러다 한 달 만에 멋쩍게 웃으며 지하상가로 돌아왔다. 인천은 커녕 부평을 벗어나지도 못했다. 그녀의 눈에 그는 욕심이 없고 끈기와 근성이 부족해 보였다.

수연은 오래전 올림픽 여자 역도 결승전의 중계캐스터가 "장미란 선수, 근성이 정말 대단합니다!" 감탄하던 목소리를 기억했다. 그뒤로 근성이라는 단어를 떠올리면 떨리는 입술을 윙니로 지그시 내리누르던 장미란 선수의 얼굴이 자동적으로 연상되었다. 그럴 때마다 수연의 마음도 저절로 비장해지곤 했다.

그녀는 그 비장함이 자신을 갑옷처럼 딱딱하게 둘러싸주기를 바랐다. 기계적인 그 비장함만이 현실을 살 수 있게 해준다고 믿었다. 지하상가 골목은 끝없이 이어져 있었다. 더이상은 안 되겠다 싶은 순간에는 지하 곳곳에 숨겨진 비상구로 달려갔다. 어둑한 계단참에 서서 양팔을 쫙 펴 기지개를 켜면 또 몇 시간을 견딜 수 있었다.

수연에게 상혁은 그 비상구와 비슷한 존재인지도 몰랐다. 일상을 낱낱이 이야기할 수 있는 사람, 마음껏 투덜거리고 짜증 부릴 수 있는 사람. 유일한 사람.

어느 아침, 수연과 상혁은 나란히 텔레비전을 보고 있었다. 화면 속에서는 얼마 전 결혼식을 올린 한 연예인의 신혼집이 소개되는 중이었다. 푸릇푸릇한 잔디가 깔린 넓은 정원, 유리통창으로 해가 쏟아져 들어오는 거실, 사면의 벽을 옷으로 빽빽하게 채운 드레스룸, 몇 인치인지 가늠하기도 어려운 초대형 텔레비전이 놓인 AV룸 등이 차례대로 비춰졌다.

리포터가 욕실 세면대 위의 수납장을 열자 수건들이 차곡차곡 쌓여 있었다. 희고 도톰한 수건들이었다.

"집이 있으면, 좋구나."

수연의 말에 상혁은 대꾸가 없었다. 하품을 참고 있는 것 같은 그의 옆얼굴을 보자 이상하게 수연은 힘이 빠졌다.

"내 말 못 들었어?"

그는 고개를 까딱했다. 들었다는 건지 못 들었다는 건지 알 수 없었다. 그녀는 나지막한 한숨을 내쉬었다. 그 한숨은 그를 향한 것이 아니었다. 그 앞에서 말고는 달리 내쉴 곳이 없어서 그렇게 했을 뿐이다.

모텔 객실의 풍경은 밤일 때와 밤이 아닐 때가 사뭇 달랐다. 밤에 보이지 않던 것들이 아침에는 보였다. 손바닥만한 유리창 너머로는 건너편 건물 옥상의 시퍼런 물탱크가 고스란히 보였다. 침대 시트 위에는 누리끼리하게 찌든 얼룩 몇 개가 보였다. 아무리 강력한 표백제에 담가놔도 지워지지 않을 것 같았다. 이런 방도 그들은 일주일에 한 번 정도 빌릴 수 있을 뿐이었다. 시간이 흐르면 좀 나아질 수는 있겠지만 근본적인 것은 변하지 않을 것 같았다.

그들이 같이 살기로 했다는 말에 가게의 사장언니가 이마를 찌푸렸다.

"결혼?"

수연은, 하하 설마요, 라고 대답했다.

"그럼 동거?"

"아니 뭐, 딱히 그렇다기보다는."

말끝을 흐린 건 뭐라고 해야 상대를 이해시킬지 자신이 없어서였다. 결혼도, 동거도, 그들이 집을 구하려는 이유를 정확하게 설명하는 단어가 아니었다.

부평역 상가의 휴일인 화요일에 그들은 부동산을 찾아갔다. 큰길에 번듯하게 간판을 내건 곳들은 선뜻 문을 열고 들어서기가 어려웠다. 미리 약속하지 않았는데도 수연과 상혁은 자꾸만 골목 안쪽으로 걸어갔다. 허름한 분식집과 철물점을 이웃에 두고 있는 부동산을 하나 발견했다. 중년의 부동산 중개사가 인터넷 고스톱을 두다 말고 그들을 맞았다.

"신혼집 구하시게?"

아니요, 라고 말하려다 말고 수연은 상혁을 보았다. 상혁은 자기가 답할 문제가 아니라는 듯이 입을 다물고 있었다. 수연은, 네 어쨌든 집이요, 라고 대답해버렸다.

"어떤 걸 찾으시나. 매매? 아니면 전세? 월세? 평수는?"

구체적으로 생각해둔 것이 아무것도 없다는 걸 깨달았다.

"보증금은 낮으면 좋고, 집은 넓을 필요는 없고요. 그냥 둘이 지낼 만한……"

부동산 중개사는 전문가답게 그들의 경제 사정을 이미 눈치 채고도 남은 것 같았다.

"일단 이 근처에 바로 볼 수 있는 방이 두어 개 되는데."

눈치가 보통이 아닌 남자였다. 그는 '방'이라고만 했지 '집'이라고는 하지 않았다. 그들이 바로 볼 수 있다는 방은 누군가 살고 있으나, 평일 낮인 지금은 비어 있는 방이었다.

첫번째 방은 연립주택의 반지하였다. 중개사가 제집인 것처럼 익숙하게 현관 비밀번호를 눌렀다. 바닥에 깔린 요와 이불이 보였다. 베개는 두 개였다. 이곳에 사는 사람들은 항상 이불을 펼쳐둔 채 생활하는 것 같았다. 그러나 그것이 게으름의 의미가 아님을 수연은 잘 알고 있었다. 이불을 펼친 채 사는 삶이란 아침에 이불을 개어놓고 나갈 여력 없이 사는 삶을 뜻했다.

두번째 방은 원룸 건물의 이층이었다. 실내 공간의 삼분의 이를 차지하는 것은 더블베드였다. 설거지통엔 물에 불려놓은 냄비가 있었고, 방 한구석 빨래 건조대에는 다 마른 옷들이 널려 있었다. 낡았지만 깨끗한 옷들이었다.

"어떠셨어?"

밖에 나오자마자 부동산 중개사가 물었다. 수연은 머뭇거렸다. 그것은 그녀에게, 지금껏 이 도시에서 버텨온 시간, 그 과거와 현재, 그리고 상혁과 함께할 미래에 대해 묻는 재촉처럼 들렸다.

상혁은 자기가 보기에는 두번째 방이 더 나은 것 같기는 한데, 방에 비해 월세가 좀 높은 것 같다고 자신 없는 목소리로 말했다.

“아이고. 젊은 사람들이 참.”

중개사가 혀를 찼다.

“여기서 어떻게 더 낮춰요. 집주인도 빚내서 지은 집인데 은행이자 낼 만큼은 받아야지.”

“그런가요. 하긴, 그렇겠죠.”

상혁이 슬며시 수긍하는 소리가 들렸다. 그렇기는 뭐가 그래. 마음 같아서는 상혁의 등짝이라도 꼬집고 싶었지만 수연은 그를 향해 손을 뻗지 않았다. 대신 그녀는 보폭을 줄여 그들과 거리를 두었다.

조금 뒤에서 바라보자, 애인의 뒷모습이 낯설었다. 그는 중개사와 무슨 이야기인지를 꽤 심각하게 나누며 점점 빠르게 앞으로 걸어갔다. 그녀에게서 멀어져갔다. 수연이 어디만큼 따라오는지는 그의 관심사가 아닌 것 같았다.

서로가 서로에게 도망칠 수 있다면 기회는 지금뿐인지도 모른다는 생각이 문득, 들었다. ◇

나는,

상대방이 싫어졌다는 이유만으로 도망치는 것이 아니다. 그 옆의 내가 싫어서 도망치는 경우도 있다. 그 사람 옆에 있는 자신의 모습이 낯설고 어색할 때, 혹은 그 모습이 스스로도 생각지 못하던 방향으로 변해갈 때 우리는 이별을 결심한다.

일상에서 깊은 한숨을 내쉬곤 하는 습관이 새로 생겼다고 해서, 일 년 후의 삶이 까마득한 암흑처럼 느껴진다고 해서, 그게 모두 '그 사람과의 관계' 탓은 아닐 것이다. 그것은 엄밀히 말해 '내 탓'이다. 그러나 누구도 자신과는 이별할 수 없기 때문에 우리는 상대방과 이별한다. 가장 가까운 옆 사람과 헤어지면 내가 조금은 다른 삶을 살 수 있으리라는 희망으로.

'너를 사랑하지만 어쩔 수 없어'라는 말과 '미안해'라는 말 사이에 생략된 문장이 있다면 이것이 아닐까. '나는 나를 더 사랑해' 혹은 '나는 나를 더 사랑하고 싶어'.

부평역 지하상가는 행정구역상 인천광역시에 속한다. 그곳은 '밍'이라는 한 남자의 고향이다. 그는 내 장편소설『너는 모른다』속의 인물이다.

아버지가 중국인이고 어머니는 한국인인 그 남자는 인천에서 나고 자라다가 스무 살에 그곳을 떠났다. 그뒤로 쭉 타이베이에 머물렀지만 그의 마음은 줄곧 한국과 대만 사이의 어딘가 또는 지도에는 나오지 않는 머나먼 곳을 떠돌았다. 아무데도 머물지 않는 것만이 삶의 목적이었다.

사랑에 대해서도 마찬가지였다. 정면으로 마주보지 않고 계속 비스듬히 비켜서기만 했다. 무엇이 그토록 겁났던 것일까.

한때 몹시 비겁했던 적이 있다. 돌아보면 지금껏 비겁하기만 했다. 아무것도 선택하지 않음으로써 아무것도 망가뜨리지 않을 수 있다고 믿었다. 덧없는 틀 안에다 인생을 통째로 헌납하지 않을 권리, 익명의 자유를 비밀스레 뽐낼 권리가 제 손에 있는 줄만 알았다. 삶은 고요했다. 그 고요한 내벽에는 몇 개의 구멍들만이 착각처럼 남았다.

—

정이현 소설 『너는 모른다』 중에서

소설 말미 그가 떠날 결심을 하고 실행에 옮기기 전 인천을 찾아가는 대목이 있다. 그 부분을 쓰기 위해 나는 차이나타운에 갔다. 모든 문장들이 그런 것은 아니지만 가보지 않으면 쓸 수 없는 부분이 있다. 나는 긴 언덕을 걸어올라 더 깊은 골목 안쪽으로 들어갔다. 어딘가 밍의 옛집이 있을 것만 같았다.

가파른 비탈 여기저기 작고 오래된 집들이 있었다. 집집마다 지붕이 날아가지 않도록 눌러놓은 큼지막한 돌덩이들을 보고서 여기가 바다 근처임을 실감했다. 아주 오래전에 지어진 것처럼 보이는 낡은 집의 이층 베란다에, 덜 마른 아기 빨래가 나부꼈다. 나는 한참 동안 그 자리에 서 있었다. 바람에 흔들리며 나부끼는, 누군지 모르는 사람들의 옷을 바라보는데 이상하게 눈물이 났다. 나는 그 집을 오래전 밍이 살았었던 집으로 정했다. 이런 것도 마음대로 상상할 수 없다면 소설가라는 직업의 좋은 점이 뭐란 말인가, 라고 생각하면서.

그 집을 보고 와서 비로소 나는 소설 속 밍의 이야기를 완성할 수 있게 되었다.

그는 오래전 도망쳤던 곳의 한가운데를 향해 제 발로 다시 걸어들어갔다. 뒤늦게, 스스로의 선택으로 운명에 맞섰다.

이곳이 마뜩지 않아, 내 곁의 사람이 마뜩지 않아, 내가 마뜩지 않아 그만둘 수 있다. 도망칠 수 있다. 훌쩍 떠날 수 있다. 얼마든지 가능하다. 그런데 누구도, 언제까지나 그렇게 살 수는 없다.

나는 수연과 상혁의 그 뒷이야기를 알고 있다. 그들은 그날 뒤돌아서지 않았다. 함께할 방을 얻을 뻔했으나 얻지 않았다. 헤어질 뻔했으나 헤어지지 않았다. 가까스로 그들은 서로에게서 도망치지 않았다. 그 평범하고 특별한 사랑을 그만두지 않았다. 물론 중간 결말이다. 삶에, 완벽한 결말 같은 것은 있을 리 없으므로.

완벽하지 않은, 사소한 중간 결말과 결말 들을 열고 닫으며 우리는 어딘가로 흘러가고 있다. ♦

물과 같이

그들은,

M과 J는 스무 살 때부터 친구 사이였다. 둘이 함께 있는 것을 본 많은 사람들은 남매지간이 아니냐고 말했다. 나중에 피붙이가 아닌 걸 알고 나서는, 당연히 연인 사이라고 이해했다. 함께 종종 들르던 M의 동네 커피숍 사장이 그런 경우였다. 어느 날 M이 혼자 커피를 주문하러 가자 "오늘은 오빠는 안 오셨네요"라고 말했고, 오빠가 아니라는 그녀의 얘기를 듣고는 "그럼 남동생인가봐요"라고 해서 그녀를 웃겼다.

그것도 아니라고 하자 그쪽에서는 무척 실례했다는 표정으로 "남자친구분하고 너무 닮으셔서 제가 그만 실수를 했네요"라고 말했다. 거듭 '그냥 친구'라 설명했지만 남들의 귀에는 그런 말은 걸러서 들리는 장치가 있는 모양이었다.

하나하나 찬찬히 뜯어보면 M과 J의 얼굴 생김이 그렇게 비슷하지는 않았다. 둘을 닮아 보이게 한 것은 분위기였을 것이다. 밝게 웃을 때의 입매와 눈매, 어딘가를 집중해 바라볼 때의 진지하고 무방비한 표정 같은 것. 혹은 처음 만나는 이 앞에서는 낯을 가려 머뭇거리지만, 어린 길고양이를 마주쳤을 때 자리를 떠나지 못하고 한동안 바라보며 염려하는 마음이나, 대형 문구점에 들어서면 제일 먼저 필기구 코너로 가고 거기서 새로운 2B 연필을 발견하면 하나 사보지 않고는 못 배기는 취향 같은 것도 닮았다. 연필심을 꼭 뾰족하게 날 세워 깎지 않으면 직성이 풀리지 않는 것도 같았다.

처음부터 그랬는지, 아니면 친해지고 나서 서서히 닮아갔는지, 그랬다면 누가 누구의 영향을 받은 것인지, 그들은 알지 못했다. 관심도 없었다. 그들은 어떤 의미로든 닮았다는 말을 들으면 그저 웃곤 했다. 그 웃음은, 허허, 에 가까웠다. 그러고는 그만이었다. 둘이 왜 닮았으며 그 말이 뜻하는 바는 무엇인지에 관해 더 깊이 생각하지 않았다. 친구 사이란 그런 것이다.

많은 사람들이, 왜 둘이 사귀지 않는 것인지에 대해 궁금해했다. 둘 다 처음엔 다만 웃으면서 '우리는 친구'라고 답하곤 했다. 그래도 상대가 수긍하지 않고 자꾸 딴소리를 하거나 의심의 눈초리를 거두지 않으면 정색을 하고 "우리는 아니야"라고 잘라 말했다. 가끔은 세상의 그런 시선이 폭력적으로 여겨지기도 했다.

그들은 서로의 연애에 대해서도 자주 의견을 교환하고 조언과 훈수를 두는 사이였는데 M이 사랑에 빠지곤 하는 남자들은 J와 비슷한 데라곤 전혀 없는 이들이었다. M과 전혀 닮지 않은 여자들과 사랑에 빠지는 것은 J도 마찬가지였다.

M과 J가 서른두 살이 되었을 때 각자에게 새로운 애인이 생겼다. 그들은 서로의 사랑을 축복하며 응원했다. 언제 한번 넷이서 저녁이나 먹자고 제안한 건 M이었다. J의 반응은 M의 예상과 달랐다. 그는 흔연히 좋다고 말하는 대신 애인의 의견을 물어본 뒤 알려주겠다고 대답했다.

"그럼, 당연하지."

빠른 목소리로 수긍했지만 M은 어쩐지 조금 이상한 기분이 들었다. 섭섭하다고 해도 좋을 그런 기분. M은 스스로에게 놀랐다. J가 확실히 진지해졌다고 생각했다.

"밥 먹으면서 가볍게 한잔할 수 있는 곳에서 보자는데?"

J가 연인의 말을 전했다. 괜히 만나자고 했나, 내내 어색하면 어쩌지……. M은 걱정이 되었다. 그러나 네 사람이 화덕피자와 수제맥주를 파는 식당에 모여 앉은 저녁, 걱정했던 것이 무색해졌다. 어색한 순간은 찾아오지 않았다. J의 연인은 성격

이 서글서글하고 친화력이 좋았다. M의 애인 역시 비슷한 성격이었다. 둘은 금세 이런저런 화제로 이야기를 나누기 시작했다. 대화는 부드럽게 이어졌다.

그 사이 M과 J는 간간이 맞장구를 치거나 고개를 끄덕이는 동작을 취하면서 천천히 맥주를 마셨다. M의 잔이 비면 J가 따라주었고 J의 잔이 비면 M이 채워주었다. M의 연인과 J의 연인이 나누는 열띤 대화를 한 귀로 들으며 그들은 새 맥주가 나올 때마다 잔을 들어 살짝, 조용히 건배했다. 옆 사람들의 대화는 이번 시즌 프로야구 전망에 다다라 있었다. 그들은 같은 팀의 열렬한 팬임을 확인하곤 몹시 반가워하는 중이었다.

"언제 우리 넷이 야구장 가면 되겠네요."

"그거 좋죠."

M의 연인이 갑자기 M 쪽을 돌아보았다.

"자기는 어떤 팀 좋아해?"

M은 당황했다. J가 대신 대답했다.

"얘는 야구 별로 안 좋아해요."

M의 연인은 어이없다는 표정을 감추지 않았다.

"말도 안 돼! 네가 야구를 아직 많이 안 봐서 그래. 나 따라서 경기 보러 다니다보면 금방 좋아하게 될 거야."

"그러게 말이에요. 야구장 얼른 가야겠다."

J의 연인이 거들었다.

"뭐 세상엔 야구에 별 관심 없는 사람도 있지 않나."

J가 조그마하게 중얼거렸다.

"어머, J씨도 야구 안 좋아해?"

J의 연인이 눈을 동그랗게 떴다.

"세상에, 난 그것도 몰랐네."

"아무래도 이분들 우리가 데리고 다니면서 야구에 눈뜨게 해줘야겠어요."

"그래야겠네요. 가만. 당장 다음 주말에 서울 경기 있나?"

야구팬 두 사람이 머리를 맞대고 스마트폰으로 경기 일정을 검색하는 동안, M과 J의 시선이 잠시 마주쳤다가 흩어졌다. 다행인지 아닌지 다음 주말, 그들이 응원하는 팀은 서울이 아니라 부산 경기가 예정되어 있었다. 그후에도 그들이 함께 야구장에 가는 일은 일어나지 않았다. 다음번 주말엔 전국에 큰비가 내렸고, 그 다음번 주말엔 M의 연인이 긴 해외 출장을 떠났고, 그 다음번 주말엔 J가 연인과 헤어졌기 때문이다. 그리고 열 번쯤의 주말이 더 왔다가는 사이, M도 이별을 했다.

어느 토요일 아침, M이 새로 산 자동차를 몰고 J의 집 앞에 왔다. 아직 비닐커버도 벗기지 않은 새 차였다. 그들은 함께 비닐커버를 벗겼다. 커피숍에서 아이스라테를 사 와 차 안에서 마셨다. 샷을 추가한 라테를 주문하는 입맛 또한 둘이 같았다.

"벌써 여름이네."

차창 밖을 바라보며 누가 먼저랄 것도 없이 말했다.

"바다 보러 갈래?"

M이 갑자기 물었다.

"애들처럼 무슨."

J가 조금 심드렁한 척 대꾸했다.

"그럼 우리가 어른이냐."

M의 말에 둘은 픽, 웃었다. M이 오디오 버튼을 눌렀다.

> 사랑을 손 모아 기다리면 봄처럼 가득히 피어 오지만 사랑을 그냥 놓아두면 가을과 같이 시든다네. 사랑을 도망칠 때 자연스럽게란 말은 하지 마. 사랑은 물과 같이 높은 곳에서 흐르지. 사랑에 흠뻑 빠진다면 여름처럼 부풀어오른 맘이 사랑을 그냥 놓아두면 겨울과 같이 메마른다네.
>
> —
>
> 권나무 노래 〈사랑은 높은 곳에서 흐르지〉 중에서

두 사람 다 아무 말도 하지 않았다. 차창 밖으로 보이는 나뭇잎들이 푸르렀다. 어느새 정말로 여름이 되어버린 것 같았다. ◊

나는,

우정이 존재할 수 없는 관계란 없다. 동물과 인간 사이에도, 동물과 식물 사이에도, 인간과 인간 사이에도 우정은 깃든다. 우정이 어떤 감정이냐고 되묻고 싶기도 하다. 이 세상의 우정이 단 하나의 빛깔, 단 하나의 모양, 단 하나의 방식일 리가 없다. 사람의 감정이란 무척 다양하고, 사람끼리 만나 맺는 관계의 양상도 몇 가지라고 정의할 수 없으므로.

오랜 시간 잔잔한 눈빛으로 서로의 곁을 지켜온 친구를 갑작스레 다른 감정으로 바라보게 되는 것도 있을 수 있는 일이다. A와 B이던 두 사람은 좋은 친구였지만, A가 A′로 조금 변하는 순간 B는 A′에게 낯선 매혹의 느낌을 받을 수도 있다.

이런 식의 가정도 가능하다. 한 명은 우정만을 기대했으나, 또 한 명은 혼란스러운 채로 지내왔다는 것.

오랫동안 함께 어울려 지냈던 친구들 둘이서 어느 날 갑자기 손을 잡고 나타난 적이 있다. 그들은 가까이서 오래 지켜봐온 상대와 사귀는 것이 가장 안전한 연애라고 말했다. 만나자마자 첫눈에 반했다며 사랑한다고 하는 상대가 가장 위험하다고 했다. 사랑이야말로 타인끼리 나눌 수 있는 가장 친밀하고 깊은 소통의 방식인데, 그 첫 감각만을 믿고 무턱대고 달려드는 건 위험하고 자기중심적이라는 것이다.

서로를 오랫동안 지켜본 후에야—그가 어떤 사람인지, 무엇을 좋아하고, 무엇에 마음이 움직이며, 무엇으로 행복을 느끼는지 그 모든 것이 나의 것과 얼마나 일치하고 통하는지 조심스레 가늠해본 후에야—연인이 될 수 있다는 것. 그런 연인 사이가 바람직하다는 것. 그것이 수줍은 그들의 주장이었다.

그들의 이야기를 들으면서 고개를 끄덕이긴 했지만 나는 그 이후에 일어날 일들이 자꾸만 생각났다.

그들이 친구로 보낸 기간만큼이나 오래 연인으로 지내고 둘도 없는 연인이었다 하여도, 언젠가는 끝이 닥치게 될 것이다. 그러면 그들은 둘도 없는 오랜 친구도 연인도 한꺼번에 잃게 된다. 다 없어지게 된다. 현실에서의 관계는 사라지고 기억으로만 남게 된다. 그걸 감수할 만큼, 현재의 감정이 중요하냐고 묻고 싶은 것을 꾹 참았다.

만약 세상에 연애상담가라는 직업이 있다면 이 지점에서 조언은 극명하게 나뉠 것 같다. 나는 '아니면 어때요, 부딪혀보세요, 용기를 내세요'라는 쪽의 반대편에 서게 될 것이다. 사귀기 전에는 친구이지만, 헤어지고 난 뒤에는 친구로 남기 힘들다는 사실을 알고 있기에 그렇다. 둘도 없는 친구 사이는, 둘도 없는 연인만큼, 아니 어쩌면 그보다 더 귀중한 관계라는 것도.

그럼에도 그들이 사랑에 빠지겠다고 한다면? 그 모든 상실의 위험을 감수하고서라도 새로운 노선의 열차에 함께 올라타는 것을 선택한다면? 응원의 박수를 치면서, 역시 사랑이란 인간의 의지로는 어쩔 수 없는 것인가보다, 하고 아주 조그맣게 중얼거릴 것이다. 새로운 연인들의 귀에만 들리도록.

……참, 그때 내 친구들 간의 사랑은 며칠 만에 끝났다. ♦

커피 두 잔

그들은,

그들은 맞선을 통해 만났다. 둘이 처음 만난 곳은 지금은 없어진 명동의 한 커피숍이었다. 음료를 주문해야 할 때 여자는 커피를 마시겠다고 했다. 8월이었고 기온이 30도에 가깝게 무더운 날씨였으므로 남자는 그녀가 당연히 차가운 커피를 주문하는 거라 생각했다. 그러나 주문을 받는 직원에게 그녀는 말했다.

"저는 뜨거운 커피요."

그들이 기본적인 호구조사를 마쳤을 때 차가운 커피 한 잔과 뜨거운 커피 한 잔이 나왔다. 남자는 제 앞의 음료를 천천히 아껴 마시는 편이었고, 여자는 단숨에 마시는 편이었다. 온도의 차이에도 불구하고 여자의 잔이 더 빨리 비었다. 그것 말고는 둘 사이에 비슷한 점이 많았다. 그때는 그런 줄 알았다. 둘 다 서울 태생이었고, 서로 멀지 않은 동네에서 나고 자랐다. 여자가 세 살 어렸지만 군대를 다녀온 남자와 졸업 시기가 같았다. 지금 다니는 회사가 각자의 두번째 직장이라는 점도 같았다. 둘 다 삼 남매 중 첫째이며 남동생과 여동생을 한 명씩 가지고 있다는 것도 공통점이었다.

먼저 식사를 하자고 제안한 것은 남자 쪽이었다. 커피숍에 마주앉은 지 두어 시간이 지났을 무렵이었다. 여자는 망설임 없이 그러자고 했다. 둘 다 그전에도 이런 식의 맞선을 본 적이 있었지만, 첫 만남에서 밥을 먹으러 간 적은 없었다. 두 사람은 밖으로 나왔다. 거리 속으로 쓱 섞여들어갈 용기가 나지 않을 만큼 무더운 날씨였다. 명동은 두 사람에게 다 익숙한 지역이 아니었다.

“어디 아는 곳 있으세요?”

“저는 없는데요.”

“주선자는 왜 약속을 이 동네로 정했을까요?”

“그러게요, 왜 그랬을까요.”

둘은 여러 갈래로 나눠진 골목길 앞에 한동안 멈춰 서 있었다. 쉽게 결정을 내리지 못한다는 점도 그들의 공통점인 것 같았다. 남자의 머릿속으로 냉면과 메밀국수 같은 차가운 음식들이 스쳐지나갔다. 그때부터 조금이라도 결정이 빠른 쪽은 여자였다.

"저기는 어떨까요?"

여자가 가리킨 곳의 간판에는 통닭 그림이 그려져 있었다. '영양센터'였다.

"좋습니다."

남자는 흔쾌히 식당 안으로 들어갔다. 삼계탕은 검은색 뚝배기 그릇에 담겨 나왔다. 뜨거운 김이 펄펄 났다. 그는 한여름이 아니라 한겨울에도 그토록 뜨거운 음식을 즐기는 사람이 아니었다. 그러나 여자 앞에서 그 사실을 잠시 잊었다. 그는 닭다리를 하나 뜯어 호기롭게 입으로 가져갔다. 여자는 삼계탕을 좋아하는 것 같았다. 국물만 좀 남기곤 한 그릇을 싹 비웠다. 여자는 평소에 가리는 음식이 별로 없다고 말했다. 저랑 비슷하시네요, 라고 남자는 말했다.

길지 않은 연애 기간 동안 삼계탕집에 두 번쯤 더 같이 갔다. 두번째 갔을 때 남자는 제 몫으로 삼계탕 대신 프라이드치킨을 시켰다. 땀을 뻘뻘 흘리면서도 열심히 국물을 떠먹는 여자의 모습이 예뻤다. 그곳에서 결혼하자고 말해버렸다. 여자는 시원시원하게 좋다고 대답했다.

결혼하고서는 여간해서 삼계탕을 먹을 기회가 없었다. 결혼하고 얼마 지나지 않아 여자가 임신을 했고, 음식을 잘 먹지 못하는 입덧이 지속되었다. 특히 국물과 함께 삶은 고기 종류는 멀리서 냄새만 맡아도 힘들어했다. 아이가 태어나기 직전에 남자는 직장을 옮겼다. 전에 다니던 곳보다 연봉은 조금 많고 야근은 아주 많은 곳이었다.

첫 아이는 아들이었다. 여자는 출산휴가를 마치고 복직했지만 오래지 않아 회사를 옮겼다. 연봉은 거의 반토막이 났지만 야근은 없는 곳이었다. 이 년 후에 아이가 하나 더 태어났다. 이번에는 딸이었다. 정신없는 생활이 이어졌다. 생활이라는 단어 말고 다른 말로는 대체할 수 없었다.

한쪽 벽 전체가 통유리 창문으로 되어 있는 커피숍이었다. 남자가 막 입구에 들어서는 순간, 창가 쪽에 빈자리가 났다. 그는 그쪽으로 다가가지 않고, 다른 자리는 없는지 실내를 빠르게 둘러보았다. 어쩐지 창가에는 앉고 싶지 않았다. 그러나 다른 곳에도 빈자리는 없었다. 어쩔 수 없이 남자는 바깥이 환히 내다보이는 테이블에 자리를 잡았다.

그의 아들 또래로밖에 보이지 않는 젊은 직원이 주문을 받으러 왔다. 제법 추운 날씨였지만 그는 습관처럼 차가운 커피를 시켰다. 커피가 나오기를 기다리는 동안, 무심한 표정의 사람들이 앞만 내다보며 빠르게 걸어가는 것을 그는 흘낏거리며 바라보았다. 그들은 길가 상점의 유리창 안쪽에 앉은 타인에 대해서는 아무 관심도 없는 것 같았다. 어쩌면 바깥에서는 안이 들여다보이지 않을지도 모른다는 생각이 들었다. 바깥의 시선을 의식하는 것은 안의 존재들뿐인지도 몰랐다.

— 좀 늦을 것 같아. 접촉사고가 나서.

그는 조금 전 아내와 나눈 문자메시지를 다시 한번 읽어보았다.

— 사고? 어디 다친 거야?

— 난 괜찮고, 차는 조금.

— 응. 그럼 근처에서 기다릴게. 잘 처리하고 와.

이혼 숙려 기간중의 부부가 나눌 수 있는 대화로 적절한지 부적절한지, 그는 판단을 내릴 수 없었다. 따뜻함이나 다정함이라고는 찾아볼 수 없지만 그렇다고 차가운 기운이나 악의도 없다. 이 정도면 된 게 아닐까라고 그는 생각했다.

커피가 나왔다. 투명한 유리컵 속에 얼음 조각들이 둥둥 떠 있었다. 한 모금 삼켜보았다. 이가 시리고 목구멍이 시렸다. 전에는 이런 적이 없었는데. 이유는 알 수 없었지만 그는 의기소침해졌다. 자신이 계속 아내의 사고에 신경을 쓰고 있다는 것을 알아차렸다. 그녀는 차가 조금 망가졌다고만 말했는데 어느 정도일지 궁금했다. 아내가 가지고 다니는 차는, 완벽하게 그녀의 소유물이었다. 할부금도 그녀가 내고 있었고, 명의와 보험 가입도 그녀 앞으로 되어 있었다.

그 차를 산 지도 어언 삼 년이 흘렀다. 여자가 출퇴근용 자동차를 구매하겠다고 했을 때 남자는 반대의사를 밝혔다.

"낭비야. 그럴 필요가 어딨어?"

"지하철역에서 회사까지 얼마나 먼 거리인지 알잖아? 차를 가지고 다니면 출근 시간이 삼십 분은 단축될 거야."

"그게 대수야? 그냥 삼십 분 일찍 일어나면 되지."

여자는 더이상 말하지 않고 입을 꽉 다물었다. 그렇게 말하는 남자는 십여 년 전부터 자동차 편으로 출퇴근을 하고 있었다. 대중교통으로 가기 힘든, 시 외곽의 직장에 다니고 있다는 이유였다. 새벽이라고 부르는 게 더 어울릴 법한 이른 아침, 식구들이 잠든 집을 나서면서 그는 종종 뿌듯함과 부담감을 함께 느끼곤 했다. 자신이 나가고 난 뒤 곧바로 일어나 아이들의 아침식사를 준비하고 등교 준비를 돕고 동시에 출근 준비를 하는 아내의 아침 시간에 대해서는 관심을 기울여보지 않았다.

처음에 반대했기 때문인지, 결국 새로 도착한 아내의 자동차에 대해 내내 고까운 시선을 보냈다. 자신이 골랐다면 연비가 훨씬 좋은 다른 모델을 샀을 거라는 둥, 능숙하지 않은 운전 실력을 고려하여 첫 차는 중고차로 시작하는 것이 훨씬 나았을 거라는 둥, 남자가 그런 말들을 할 때면 여자는 대꾸를 하지 않았다. 귀를 막지 않은 것만으로도 고마워해야 할지 모른다. 그때의 그 침묵의 의미가 무엇인지 유심히 헤아렸더라면 여기까지 오지 않을 수 있었을까? 둘의 관계가 달라졌을까? 돌이킬 수 없는 가정들에 숨겨진 의미를 판독하기에 그는 지금 너무 지쳐 있었다.

그는 시계를 보았다. 두시 사십오분이 지나가고 있었다. 상담 예약시간은 세시였다. 이혼 숙려 기간중인 부부들은 법원에서 무료로 법률상담을 받을 기회가 있었다. 의무사항은 아니었다. 여자가 먼저, 하겠다고 답하지 않았더라면 남자는 상담을 받을 수 있겠다는 생각조차 하지 않았을 것이다.

이런 경우에 받는 상담이 어떤 형태일지 그는 짐작할 수 없었다. 아이들은 모두 법적 성인이 되었고, 재산 문제는 얼추 정리되었다. 그런데 아직 둘 사이에 상담으로 해결해야 할, 아니 나누어야 할 무엇인가가 남아 있을까.

그는 계속 문 쪽을 흘끔거렸다. 상담시간이 가까이 되도록 아내는 올 기미가 보이지 않았다. 그녀의 흰색 소형차는 어떻게 되었을까? 그녀는 오기는 올까? 그녀는 정말로 다치지 않았을까? 평생 누군가를 처음 기다려보는 것처럼 막막하고 답답했다. 그때 문자메시지가 울렸다.

— 거의 다 왔어.

이제 일어서서 원래의 약속 장소인 법원까지 걸어가면 될 터였다. 거의 마시지 않은 차가운 커피잔을 바라보면서 문득 그는 가슴께에 이상한 통증을 느꼈다. 아주 오래전에, 어쩌면 꿈속에서 지금과 똑같은 상황을 겪은 적이 있는 것만 같은 느낌에 휩싸였다. 여름에도 뜨거운 커피를 마시는 여자가 있었다. 그 여자는 아무리 더워도 얼음이 들어간 커피는 마시지 않았다. 그는 작고 딱딱한 나무의자에 붙들린 듯, 영원히 몸을 일으킬 수 없을 것만 같았다. ◊

나는,

늘 새기는 말이 있다. 한 권의 책을 백 명이 읽었다면 모두 백 개의 텍스트가 된다는 말. 다들, 따로따로 읽는다. 따로따로 느낀다. 개별적으로 살고, 개별적으로 사랑한다. 이별에 대해서도 마찬가지다. 이별에 이르는 과정, 이별을 결심하거나 받아들이는 마음, 이별과 대결하는 태도도 모두 제각각일 수밖에 없다. 한 사람과 한 사람의 이별이라는 점, 온전히 그것에 초점을 맞춘다면 말이다.

'그래서 그들은 결혼하여 오래오래 행복하게 살았답니다. 끝!' 이렇게 막을 내리는 동화 속 이야기는 현실에 없다는 것을 모르는 어른은 없다. 무대가 분홍색 커튼으로 덮이고 난 뒤에 본격적인 생활이 시작된다. 백설 공주도, 개구리 왕자도 일상을 살아가야 한다. 장을 봐야 하고 밥을 지어 먹은 다음 설거지를 해야 한다. 빨래를 세탁기에 돌리고 건조대에 널어 말린 다음 잘 개어 서랍에 차곡차곡 집어넣어야 한다. 마룻바닥의 먼지를 청소기로 빨아들이고 물걸레질을 한 다음엔 더러워진 걸레를 꾹꾹 비벼 빨아야 한다.

결혼이란 두 사람이 함께 사는 생활 속으로 돌입한다는 뜻이다. 그 안에서 범속한 일상들이 끝없이 되풀이된다. 의식주를 해결해야 하고, 그것을 위해 생활비를 벌어야 하고, 공동의 아이를 양육해야 한다. 그 세월의 더께 속에서, 실은 두 사람이 최초에 무척 특별한 감정으로 맺어졌던 관계임을 상기할 여력은 사라진다. 욕실의 타일 줄눈이 더러워지는 것처럼, 어떤 일들은 시간의 흐름에 따라 아주 서서히 일어난다.

삶의 무게가 두 사람의 어깨에 고르게 배분되면 좋겠지만 그렇지 않다. 때론 내 어깨가 무겁다는 것보다 저 사람의 어깨가 나보다 가벼워 보인다는 사실에 신경을 곤두세우게 된다. 하루하루 살아가느라, 내 곁에 있는 사람이 차가운 커피를 좋아하는지 뜨거운 커피를 좋아하는지 낱낱이 기억할 여력은 없을지도 모른다. 차가운 커피와 뜨거운 커피 따위가 도무지 뭐가 중요하냐고 물을 수도 있다. 그런데 우리가 살아가는 데에 무엇이 치명적인 것이고 무엇이 그렇지 않은 것인가를 누가 객관적으로 판단할 수 있을까.

나는 요즘 꽤 자주, 그 사소한, 커피의 온도에 대해 생각한다. 사람마다 혀끝의 온도가 다 다르다는 것에 대해. 한 사람을 순식간에 무장해제시키고 위안을 주는 온도가 제각각이라면, 이 넓고 넓은 세상에서 나 말고 단 한 사람쯤은 나만의 그 온도를 기억해주면 좋겠다고. ♦

어둠을
무서워하는
꼬마 박쥐에
관하여

그들은,

"A씨는 언제부터 노래를 잘했어요?"

"음, 잘 모르겠어요. 아주 어릴 때부터? 저는 기억나지 않지만 네 살 무렵인가, 한 번 들었을 뿐인 만화 주제가를 정확하게 부르더래요. 부모님이 깜짝 놀라서 다른 노래들을 틀어주고 불러보라고 했고요. 그런데 바로 따라 부르더라는 말을 들었어요."

"그러면 타고난 거네요. 일종의 영재?"

"아니, 아니에요. 영재까지는 아니고, 어중간한 재능을 가지고 태어났다고는 할 수 있겠죠. 말 그대로 어중간해서 문제지만."

"성악을 전공했다면서요."

"그만큼 잘하는 다른 것이 없었으니까요. 다른 어떤 것을 해도, 노래를 부를 때만큼 칭찬받거나 주목을 끌지 못했어요. 어림도 없었죠. 보시다시피 전 아주 평범하게 생겼고, 학창 시절에 수학도, 달리기도, 종이접기도 못했어요. 친구들이 착착 색종이를 접어 학도 만들고 꽃도 만들고 비행기도 날릴 때 저는 그 야무진 손끝을 바라보고만 있었으니까요."

"그런데 음악 시간엔 달랐군요."

"네. 음악 시간이나 학교에 행사가 있을 때는요. 제가 노래를 시작하면 사람들이 깜짝 놀라곤 했어요. 평소엔 말도 별로 없고 아무런 존재감이 없던 조그마한 아이였으니. 언젠가부터 모두 저를 '노래 잘하는 아이'라고 불렀고, 저한테도 그게 자연스럽게 귀에 익었어요."

"그때는, 그러면, 지금 같은 증상이 없었나봐요."

"어떤 조짐이라면 조짐이랄까, 그런 건 있었어요. 노래를 시작하기 전에 가슴이 벌렁벌렁 뛰고 심장이 오그라드는 것 같았어요. 당연한 일이라고 생각했어요. 막상 입 밖으로 첫 음을 내보내고 노래를 부르는 동안엔 머릿속이 하얘져서 아무것도 떠오르지 않았어요. 떨리지도 않았어요. 괜찮아져서 그런 게 아니었어요. 떨림조차 느끼지 못할 정도로, 일종의 진공상태가 되어버렸던 거예요. 마치 주사를 맞은 것처럼요."

"저도 알아요, 그 느낌. 마취에서 깨고 나면 몇 배로 힘들잖아요."

"맞아요. 무대 아래로 내려오고 나면 그때부터 온갖 생각과 후회가 밀려들었어요. 그 소절을 왜 그렇게 불렀을까, 음정은 왜 그렇게 불안했을까, 시선 처리는 또 왜 그렇게 했을까. 그 무대를 낱낱이 잘라서 곱씹고 또 곱씹었어요."

"다른 사람들이 아무리 괜찮다고 말해도 괜찮지가 않죠."

"그 사람들은 내가 아니니까요. 사람들은 쉽게 말하죠. 너의 완벽주의 성향 때문이라고. 완벽해지겠다는 마음을 버리라고요. 하지만 그런 게 아니에요. 다음에 완벽한 무대를 꿈꾸어서 그러는 게 아니에요. 제 마음은 다음번이 아니라 지난번에 꽁꽁 묶여 있어요."

"네……."

"대학 입시가 가까워오면서 증상이 점점 심해져갔어요. 실기시험 날을 상상하면 눈앞이 암흑으로 변하는데 아무한테도 털어놓을 수가 없었죠. 멀리 도망쳐버릴까 수십 번도 넘게 생각했어요. 시험을 보러 가는 날 아침엔 차라리 교통사고가 나버렸으면 좋겠다고 간절히 바랐고요."

"그런데 합격을."

"믿기지 않았어요. 얼떨떨한 시간이 지나고 나자 곧 엄청난 무게의 불안감이 어깨를 짓눌렀어요. 성악과에 입학하면 이제 오디션과 경쟁의 나날이 본격적으로 시작될 텐데, 어떻게 하나, 나는 어떻게 살아야 하나, 길고 막막한 터널 앞에 선 것 같았죠."

"그렇게 터널을 걸어가야 했군요."

"이해하실지 모르지만 저에겐 성악과에서의 하루하루가 깜깜한 벽을 더듬어 간신히 앞으로 나가는 느낌이었어요. 노래를 불러야 할 상황을 앞두면 모든 나쁜 경우를 다 상상했어요. 박자를 놓칠 것이다, 반주가 시작되었는데 입도 뻥끗하지 못할 것이다, 겨우 입을 벌렸는데 쉿소리만 흘러나올 것이다……."

"실제로 실수한 적 없는데도."

"없었어요. 조그만 실수를 했다 해도 내가 미리 상상해놓은 큰일들에 비하면 아무것도 아닌 것들이었죠. 가장 나쁜 것을 상상하다, 휴, 하고 가까스로 안도하는 느낌. 거기에라도 중독되지 않았다면 숨을 쉴 수 없었을 거예요."

"다른 사람들은 몰랐나요?"

"아무한테도 들키지 않기 위해 정말 많은 에너지를 쏟아야 했어요. 지도교수님은 저더러 정제된 음량과 서정적인 음색을 가지고 있다고 하셨어요. 계속 음악을 해야만 한다고 하셨죠."

"아이러니하네요. 그런 평가를 받고서 행복했나요?"

"모르겠어요. 행복하다는 것이 어떤 기분인지 사실 저는 잘 모르는 것 같아요. 내가 느끼는 건 그와는 다른 종류의 것이에요. 아, 오늘도 한고비 넘겼구나, 금방 또다른 파도가 닥쳐오겠지만, 이라고 생각할 뿐이죠."

"그러다 그날이 온 거군요."

"네."

"……."

"졸업 발표회였어요. 아주 오랫동안 준비를 해왔는데, 그날 마지막 리허설을 앞두고 객석에서 무대를 바라보게 되었어요. 그때 깨달았어요. 나는 저기 올라갈 수 없다는 것을. 저기 올라서는 순간, 심장이 진짜로 터져버릴 거라는 사실을요. 그대로 돌아서 밖으로 나왔어요. 뒤에서 제 이름을 부르는 소리가 들렸지만 뒤돌아보지 않았어요."

"영원히 돌아가지 않을 건가요?"

"모르겠어요, 모르겠어요. 아직은 아무것도. 제 이야기는 이게 전부예요. 이제 당신 얘기를 들려주세요. B씨는 어떻게 여기에 오게 되었나요?"

"으음, 어디부터 이야기를 시작해야 할까요. 전 요리사예요. 사람들이 내 음식을 먹는 것이 두려워서 견딜 수 없는." ◊

나는,

나는 자주 불안한 사람이다. 이 문장을 입 밖에 내어 말할 수 있게 되는 데에 꽤 오랜 시간이 걸렸다.

통증의 모양과 형태를 아는 것은 질병을 짐작하는 실마리가 된다고 한다. 똑같은 가슴 부위의 동통이라도, 불타는 듯 아프면 위통이고 조이듯 아프면 심장의 문제라고 추측한다는 말을 들었다. 불타는 듯 아픈지 조이듯 아픈지 쥐어짜듯 아픈지는 아무도 대신 느껴줄 수 없는 일이다. 오직 자신만이 그것을 알 수 있다.

언젠가 '나는 어떻게 쓰는가'라는 주제의 산문을 청탁받은 적이 있다. 가장 먼저 떠오른 답은 '한 글자 한 글자 쓴다'는 것이다. 농담이라면 좋겠다. 그러나 소설 쓰기에 관해 내가 확언할 수 있는 유일한 사실은 그뿐이다. 한 글자 한 글자 쓰지 않으면, 한 땀 한 땀 꿰매지 않으면, 어떤 소설도 완성되지 않는다. 이것은 절망과 희망을 동시에 주는 진술이다. 무엇을 써도 백지에서 시작해야 한다는 것은 절망적이고, 모든 작가들이 공평히 이 백지 앞에 놓여 있(었)다는 것은 희망적이다. 이미 출간된 지구의 모든 소설들은 최초의 순간, 완벽한 공백에 지나지 않았다는 것. 쓰기로 결심한 이상, 지리멸렬하게, 서서히 결여를 메워가는 것 말고는 누구에게도 뾰족한 수가 없는 것이다.

고백하자면 한 번의 예외도 없이 늘, 어려웠다. 새 소설을 시작할 때마다 낯선 밤길을 더듬더듬 걷는 것 같았다. 첫 문장 앞에서 한없이 막막했고, 모든 문장이 첫 문장 같았고, 마지막 문장에 다다르지 못할까봐 불안했다. 그럴수록 더 조급해졌다.

바보 같은 줄 알면서도 그랬다. 소설 쓰는 일이 두렵다고, 점점 더 두려워진다고, 이러다 죽어버릴 것 같다고 말할 용기는 없었기 때문에. 그때 나는 내가 살고 있는 것이 삶이 아니라, 소설이라고 생각했는지도 모른다.

'소설가'로 불리게 된 지 십오 년이 넘었다. 소설 밖에서 스쳐지난 일들은, 아주 특별한 사건을 제외하고는 희미하게밖에 기억나지 않는다. 계절이 바뀔 때마다 무슨 옷을 꺼내 입었는지, 자주 다니던 식당은 어디였는지, 그 무렵 가장 자주 만난 친구는 누구였는지 하는 것들. 그런 일상들은 흐릿하게만 남아 있다.

그동안 몇 개의 작업실들을 만들었다 없앴다 했다. 그중 하나의 방이 지금도 가끔 떠오른다. 나무책상과 의자와 책 열 권이 간신히 꽂히는 책장 말고는 아무 가구도 없던 그 작은 방. 거기서 내가 제일 자주 한 일은 맨바닥에 가만히 드러누워 있기였다. 천장 벽지는 흰색이었다. 척추를 반듯하게 펴고 누워 그 밋밋하고 낯선 벽을 한참 올려다보다 돌아오곤 했다. 여기 이렇게 누운 채 영원히 일어나지 못할 수도 있다는 것을 알았다. 내가 진즉 소설 밖으로 내던져져 있었음을 알았다. 어쩌면 도망쳤음을 알았다. 그렇다 해도, 어디서든 살아가야 한다는 것도.

그뒤로는 삶 대신 소설을 살고 있다거나, 소설이 내 인생의 전부라거나 하는 식의 말은 하지 않게 되었다.

*

『어둠을 무서워하는 꼬마 박쥐』(게르다 바게너 글, 에밀리오 우르베루아가 그림)라는 그림책이 있다. 분홍색 날개를 가진 꼬마 박쥐가 주인공이다. 다른 박쥐들은 모두 검은 날개를 가지고서 멀리 날아가지만 그의 날개는 시간이 지나도 계속 분홍색이다. 이 꼬마 박쥐에게는 비밀이 하나 있다. 어둠 속에서 살아가야 하는 것이 박쥐의 운명인데, 바로 그 어둠을 몹시 무서워한다는 것이다.

"숲속의 큰 나무들은 커다란 그림자를 드리우고 있었어. 바람에 나무들이 이리저리 흔들릴 때면 그림자들도 따라 움직였지. 그러면 꼭 유령 같아 보였어."

꼬마 박쥐는 안 무서운 척하려고 기를 쓰지만 다른 박쥐들은 그를 비웃으며 모두 날아가버린다. 상심한 꼬마 박쥐는 동네에서 가장 용감한 소녀 리자와 만나게 된다. 꼬마 박쥐는 소녀 앞에서 흐느껴 운다.

"도대체 내가 뭘 어떻게 해야 하지? 무서움에서 도망치고 싶지만 되지가 않아. 무서움은 항상 날 따라다녀!"

그에 대한 리자의 대답은 이것이다. 날아서 도망쳐도, 뛰어서 도망쳐도 소용없다고. 그러곤 꼬마 박쥐에게 손전등을 쥐여 준다.

"이제 제일 어두운 구석으로 가. 그리고 아주 똑바로 유령을 바라봐."

어둠 속으로 한 걸음 한 걸음 다가갈수록 유령의 그림자는 점점 작아지고, 두려움도 사라진다. 어느새 박쥐의 날개는 검은색으로 변하고, 멀리 날아오를 수 있게 되었다. 소녀의 이별 선물은 손전등이다.

왜 손전등인가, 박쥐는 이제 어른이 되었는데도. 나는 그만 먹먹해진다. 어른에게도 때론 손전등이 간절히 필요하다.

차마 소설이 내 모든 것이라 말하지 못하고 여전히 어둠이 무섭지만, 그래도 소설을 쓴다.

안 될 것 같은데, 도저히 안 될 것 같은데, 조금씩 조금씩 '안 되지 않는' 찰나들이 모여 한 편의 소설이 완성된다. 이것이 '어떻게 쓰는가'에 대한 대답이 될 수 있을까.

모르겠다.

다시는 못 쓸 것 같은 시간이 있었고, 간신히 지나갔고, 또다시 찾아오리라는 것만은 안다.

언젠가 완벽한 검은색 날개를 가질 수 있을 거라는 희망은 생기지 않는다. 어떻게도 벗어날 수 없다면 다른 방법이 없다. 용기를 쥐어짜 책상 앞에 가 앉는 수밖에. 희미한 손전등 불빛에 의지하여 나는 조심조심 날아간다. ♦

장 미

그들은,

그들이 애초에 따로 떨어져 살게 된 이유를, 이제 와 자세히 기술할 필요는 없을 것이다.

장미는 지숙의 딸이고, 열 살 이후에는 엄마와 다른 집에서 살았다. 장미는 할머니와 아빠와 함께 살았다. 같이 살지 않는다는 것이, 서로 만나지 않는다는 의미는 아니다. 서로 사랑하지 않는다는 의미도 아니다.

지숙이 다른 도시에서 일자리를 구하게 된 후에 만나는 횟수가 줄어들기는 했다. 장미의 초등학교 졸업식에 지숙은 직장의 중요한 일을 미루고 참석했다. 예고 없이 식장 뒤편에 나타

난 엄마를 보고 아이는 벌어지는 입을 다물지 못했다.

중학교에 들어가면서 만남은 더 뜸해졌다. 아이 쪽에서 엄마를 피했다. 장미는 이런저런 이유를 대며 만남을 미루었다. 공부할 것도 많고 학원도 바쁘다고 했다. 그럴 때마다 지숙은 가슴속에 무거운 추가 하나씩 뚝, 뚝 떨어지는 느낌이었다.

여름방학, 오랜만에 장미가 시간을 내겠다고 했다. 지숙이 동네로 가겠다고 하자, 장미는 아니라고, 시내에서 만나자 했다.

지숙이 약속 장소에 먼저 도착했다. 곧 장미가 왔다. 장미는 반바지를 입었다. 쭉 뻗은 다리로 성큼성큼 걸어들어오는 모습이 낯설었다. 지숙은 냉수 한 모금을 급히 삼켰다. 그리고 활짝 웃으며 오른손을 높이 쳐들었다. 아이가 앞자리에 와 앉았다.

"잘 지냈니?"

모녀 사이에 나누기에는 좀 어색한 인사 같았다. 장미는 말없이 고개를 한번 까닥했다.

"그새 많이 컸네. 이제 엄마보다도 크겠다. 그동안 밥 잘 먹었나보다. 얼굴도 더 예뻐지고. 이거 봐. 코도 더 오뚝해지고."

지숙은 쉴 틈 없이 말들을 쏟아냈다. 아이 앞에서 달리 무엇을 어떻게 해야 할지 몰라서였다. 아이도 잘 알고 있을 것이다. 장미는 대답하지 않았다. 지숙과 눈을 맞춰주지 않았다. 아이의 시선은 지숙을 지나쳐 벽에 붙은 광고 포스터에 가닿아 있을 뿐이었다. 지숙의 가슴이 졸아들었다.

스파게티와 햄버그스테이크 같은 것을 파는 식당이었다. 아이가 메뉴판을 관심 있게 바라보았기 때문에 지숙의 마음이 조금 놓였다. 아이는 적어도 밥은 먹고 일어서겠다는 생각인 것이다.

"엄마는 이런 데 잘 몰라. 장미가 먹고 싶은 거 다 시켜도 돼."

평소에는 패밀리레스토랑이라는 이름이 붙은 곳에 올 일이 없었다. 여유가 없기도 했고 입성이나 먹성에 돈을 쓰지 않는 생활이 몸에 배기도 했다. 하지만 반드시 그 이유가 전부는 아니었다. 이 또래 아이들을 보면 어쩔 수 없이 장미가 떠올라서였다.

상냥한 표정으로 다가온 직원에게 장미는 한마디도 하지 않았다. 고집스럽게 입술을 다물고만 있었다. 지숙이 직원의 도움을 받아 주문한 몇 가지 음식이 나왔다. 장미는 마지못한 듯 조금씩 깨작대다가 이내 포크를 내려놓았다.

"왜? 맛이 없니?"

"원래 이런 거 안 좋아해요."

아이가 무뚝뚝하게 말했다.

"그래? 나는 네가 좋아할 줄 알고 여기 오자고 한 건데……."

지숙은 말끝을 흐렸다. 속상하기도, 서운하기도, 미안하기도 했다. 지숙은 다시 물었다.

"그럼 무슨 음식이 좋아?"

"김치찌개요."

"그렇구나."

"할머니가 끓여주는 김치찌개가 제일 좋아요."

"그래, 그렇구나."

두 사람은 각자의 포크 손잡이를 괜스레 만지작거렸다. 아이가 불쑥 말했다.

"부탁이 있어요."

"응?"

"오늘 그래서 나온 거예요."

아이는 스타카토로 빠르게 말했다.

"다시는 나한테 연락하지 않았으면 좋겠어요."

장미의 부탁은 그것이었다. 지숙은 딸의 입술을 바라보았다. 한일(一)자에 가까운 얄브스름한 입술은 그 말을 하고 난 뒤 꼭 닫혀 있었다. 용건은 이제 다 끝났다는 듯이.

"왜인지 물어봐도 될까?"

지숙은 자신의 질문이 아이에게 아프지 않게 들렸으면 하고 바랐다.

"그냥이요."

아이의 목소리는 아까보다 확연히 작았다.

"싫어요, 그냥. 그리고 할머니가."

"할머니가 안 좋아하셔?"

장미가 지숙을 쏘아보았다.

"할머니 그런 분 아니에요."

"알아, 나도 알아."

"이렇게 내가 만나고 오면, 할머니가 신경을 많이 쓰세요."

지숙은 고개를 끄덕였다.

"그래, 그렇구나."

"내 눈치를 봐요. 싫어요, 그게."

"그래."

장미는 포크를 들어 샐러드를 깨작거리는 시늉을 했지만 먹으려는 게 아님을 지숙은 알았다. 아이는 커갈수록 제 아빠를 닮았고, 또 동시에 엄마를 닮기도 했다. 아이의 아빠와 지숙은 서로 닮은 곳이 없었다. 그런 두 사람의 얼굴이, 둘의 유전자를 받아 태어난 또다른 존재의 얼굴에서 기묘하게 겹쳐 보인다는 사실을 인력으로 설명할 수 없을 것이다. 장미가 포크를 내려놓았다.

"저 이제 가볼게요."

아이가 꾸벅 남한테 하듯 인사하고는 그만 일어났다. 지숙은 눈썹 하나 움직이지 못하고 아이의 몸짓을 지켜보았다.

이튿날, 아이의 할머니에게 전화가 왔다. 만나서 무슨 좋지 않은 일이 있었던 거냐고 묻는 그 음성은 몹시 조심스러웠다. 엄마를 만나고 돌아온 아이가 지금껏 방문을 걸어 잠그고 들어가 있다고 했다. 밥도 먹지 않고, 울지도 않고, 앉아 있다고만 했다. 하염없이. 멈추어버린 시계처럼. ◊

나는,

아기가 처음 배우는 홑소리는, 미음(ㅁ)이다. 므므므므. 아기의 보드라운 입술은 맨 먼저 그 미음들로 세상에 신호를 보낸다. 너무도 작고 미약해서 그 신호를 알아채는 사람은 거의 없다.

영어는 마미, 중국어는 마마, 불어는 마망, 독일어는 무터, 스페인어 마드레. 거의 모든 언어권에서 엄마를 뜻하는 구어가 미음으로 시작하는 건 우연일까, 우연이 아닐까. 그 말이 엄마를 부르는 뜻이라고 정해놓은 건 아이가 아니라 어른이다. 그것이 누구이며 어떤 이유에서인지 나는 이따금 생각해보곤 한다.

'가족'이라는 단어를 사전에서 찾아본 적이 있다.

한 포털사이트의 국어사전에서는 '가족'에 대해 이렇게 정의하고 있었다. '부부를 중심으로 하여 그로부터 생겨난 아들, 딸, 손자, 손녀 등 가까운 혈육들로 이루어지는 집단'. 사뭇 충격적이었다. 그렇다면 결혼을 하지 않은 사람은 새 가족을 만들 기본 자격조차 없다는 뜻인가? 더 뒤져보기로 했다. 한국학중앙연구원에서 발행한 『한국 민족문화대백과 사전』에서는 다음과 같이 정의하고 있었다. '혈연 · 인연 · 입양으로 연결된 일정 범위의 사람들(친족원)로 구성된 집단'. 비로소 숨통이 좀 트이는 기분이었다.

'혼인관이 변화하고 이혼과 재혼, 그리고 다양한 혼인 형태가 증가함으로써 한 사람의 일생 동안 그의 가족이 고정되지 않게 된다. 따라서 이제 가족은 닫힌 체계에서 열린 체계로 재구조화되고 있다고 할 수 있다.'

고정되지 않은, 열린 체계. 형광펜으로 밑줄을 긋고 별을 다섯 개쯤 붙이고 싶었다.

이혼하는 사람들도 많고 재혼가정도 흔한 시대다. 결혼제도를 선택하지 않은 채 살아가는 이들도 아주 많고, 결혼을 했어도 아이 없이 사는 경우도 많다. 누가 뭐래도 현대의 가족이란 고정된 단 하나의 형태가 아니라 끊임없이 변화하는 유기체인 것이다.

가족 사이의 문제 역시 결국 사람과 사람의 관계에서 비롯된 것임을 나 역시 자꾸 잊는다. 보통의 인간관계라면 섭섭하고 속상하고 상처받았다가도 너무 어렵지 않게 털어내거나 잊는데, 혈육 사이의 문제 앞에선 유독 다른 상태가 되곤 한다. 더 섭섭하고 더 속상하고 더 상처받기도 하지만, 있는 그대로 표현하지 못하고 꾹 참다가 엉뚱한 순간에 엉뚱한 방식으로 폭발해버린다.

세상엔 부모와 자녀의 관계, 그중에서도 특히 모녀 관계에 대한 수많은 이야기들이 있다. 엄마에게 딸은 꼭 있어야 한다거나, 엄마에게 딸은 가장 좋은 친구라거나, 딸만이 엄마의 삶을 이해해준다거나 하는 식의 이야기들을 수없이 들었다. 그런데, 현실의 모녀 관계들이 정말로 그림 속 풍경처럼 예쁘기만 할까? 이 세상의 모든 엄마와 모든 딸이 다 똑같이 그렇게, 서로에게 아낌없이 다정다감하고 끝없이 사랑을 베풀며 사이좋게 걸어갈까? 그럴 리는 없다.

내 주변만 봐도 진즉 인연을 끊은 모녀 사이도 있고, 사흘이 멀다 하고 다투었다 화해했다 하는 모녀 사이도 있고, 어린 시절 어머니로부터 받은 정신적 상처를 마흔이 다 된 지금껏 시한폭탄처럼 안고 사는 딸의 경우도 있다. 그들이 공통적으로 하는 말이 있다. 만약 모녀가 아니라 다른 사이로 만났다면 이렇게까지 힘들지 않았으리라는 것이다.

“왜 우리만 이렇게 안 맞는 걸까요? 남들은 엄마와 가장 다정하고 친밀하다는데. 나는 왜.”

그렇게 폭풍처럼 토로하는 이에게 무슨 대답을 해야 할지 몰라 그저 어깨를 쓸어주었다.

이 글의 ‘장미’와 ‘지숙’의 이야기를 나에게 들려준 사람은 ‘장미씨’다. (그녀의 본명은 장미는 아니지만 장미처럼 밝고 어여쁜 사람이다.) 그녀도 이제 서른 살이 훌쩍 넘어 누군가의 엄마로 살고 있다. 친정어머니와 여전히 자주 만나지는 못한다고 했다.

“서로 바쁘니까요.”

장미씨는 담담한 어조로 말했다.

“엄마의 삶을 완전히 이해한다면 거짓말이지만 그렇다고 전혀 이해를 못하는 것도 아니에요. 엄마는 엄마의 최선을 다했다고 생각해요. 너무 어린 나이에 아이를 낳았고.”

그 부분에서부터 코가 맹맹해졌다.

“애 많이 썼어요. 멀리 살면서도 꾸준히 나를 보러 왔고, 대학 때 한번은 등록금 낼 돈이 없었는데 어렵게 구해주었고, 졸업하고서 자격증 공부 더 한다는 얘기 듣고는 일 년 동안 매달

용돈을 보내줬어요. 엄마도 힘들게 일하면서 번 돈인데. 고맙다고 하니까 그런 말 하지 말라고 했어요. 마음의 빚을 이렇게라도 갚고 싶다고 했어요."

쉽지 않은 일임을 지금도 알고 그때도 알았다고 장미씨가 말했다.

"근데 이상하죠. 내색은 못했지만 그 말이 듣기 싫었어요. 빚이라니. 뭘 갚고, 뭘 갚지 않는다는 건지."

그녀도 나도 시선을 내리깔았다.

장미씨는 그날의 이야기를 내게 들려주면서 한 가지만을 부탁했다. 그날의 일을 자신이 아니라 엄마의 시점으로 봐주면 안 되겠느냐는 것. 그 마음을 알 것 같았다.

이 글을 쓴 후 우리는 짧은 문자메시지를 주고받았다.

— 그쪽도 힘들었겠구나, 그런 생각을 했어요.

— 그랬을 거예요.

— 내 마음속의 감정들에도 색깔이 있다면, 이제는 많이 옅어졌구나 싶어요.

나는 한동안 그 옅음에 대해 생각했다. 어떤 관계도 진하거나 짙거나 너무 가까울 필요는 없을 것이다. 연하고 옅고 조금은 먼 관계, 그러다 언젠가는 다시 진해지거나 짙어지거나 가까워질 수도 있는. 부모와 자식도 결국 그렇게 하나의 열린 관계일 뿐인지도 모른다고 나는 생각했다. 그 안에 있든 밖에 있든, 선을 밟고 서 있든, 멀찍이 떨어져 서 있든, 인간에게는 모두 행복할 권리가 있다는 것을 잊지 말자고. ♦

눈 + 사람

그들은,

그 겨울, 해미에게 여러 일들이 동시에 일어났다. 대학을 졸업하고 다니기 시작했던 직장에서 퇴사했으며 오래 사귀었던 연인과 헤어졌다. 그리고 며칠 후에 왼쪽 정강이에 저릿한 통증을 느꼈다. 평소처럼 걷기 위해 발을 앞으로 내디뎠을 뿐이다. 찌릿찌릿한 느낌은 위쪽으로 점점 올라오더니 허벅지를 거쳐 엉덩이까지 퍼져갔다. 해미는, 마음이 너무 힘들면 몸이 이토록 아프구나, 라고만 생각했다.

집 앞 작은 정형외과에 간 건 그렇게 며칠을 버틴 후였다. 의사는 엑스레이 사진을 보여주었다. 허리디스크 초기라고 했다. 척추뼈 4번과 5번, 그 사이에 디스크가 돌출하여 옆의 신경을

누르고 있다고 했다. 방치해두면 큰일이 날 수도 있다는 말을 듣고서, 하마터면 해미는, 그러면 마음하고는 상관없다는 거네요, 라고 중얼거릴 뻔했다.

당장 수술을 할 필요는 없지만 주사와 재활치료를 병행해야 한다고 했다. 운동치료를 시작해야 한다는 것은 알았지만 차일피일 미루기만 했다. 재활치료를 하는 여러 센터를 찾아내어, 내부 시설과 기구 등을 비교하고, 직접 방문하고, 시간 약속을 잡고…… 그런 일들을 차근차근 해나갈 엄두가 나지 않았다.

실업 급여를 신청하기 위해 본인이 직접 가야 한다는 조건이 아니었다면 고용복지센터에도 가지 못했을 것이다. 교육을 받고 서류를 작성하고 돌아 나오는데, 다시 허리에 통증이 느껴졌다. 해미는 바닥에 가만히 쪼그려 앉았다. 쪼그린 채, 한동안 그대로 있었다. 누군가 다가와 괜찮은지 물었다.

"아니요."

해미는 대답했다.

"제가 좀, 많이 아파요."

자신이 그 말을 처음 입 밖으로 냈다는 것을 알았다.

재활운동센터의 담당 트레이너는 여성이었다. 해미와 비슷한 나이이거나 조금 많을 것 같았다. 그녀는 이런저런 동작을 할 수 있겠느냐고 묻는 것 외에 말이 별로 없는 사람이었다. 무뚝뚝하거나 뚱한 것과는 달랐다. 운동중에 통증이 오면, 꼭 이야기하라고 말하는 목소리가 진지하고 차분했다. 세상에 나온 말의 파장에 대해 오래 생각하는 사람 특유의 눈빛이라고 해미는 짐작했다.

그들은 함께 운동을 시작했다.

"무릎을 꿇고 앉아서 이렇게 두 팔을 앞으로 뻗고, 천천히 상체를 숙여보세요."

"네?"

"고양이처럼요."

"고양이처럼요?"

"네."

처음에는 어려웠던 동작이 하루하루 지날수록 조금씩 몸에 익어갔다. 그들은 대개의 시간을 묵묵히 운동하면서 보냈다. 트레이너는 해미가 어려운 동작을 해 보이면 "잘 하셨어요"라고 했고, 힘든 자세를 버티고 있으면 "조금만, 조금만 더요"라고 북돋워주었다. 해미가 못할 것 같다고 포기하려 하면 "할 수 있어요"라고 나직하게 말했다. 조금만, 조금만 더, 할 수 있어요, 라는 말들은 아무것도 아닌 것 같은데 꽤나 힘이 되었다.

어느 날, 하늘이 잔뜩 흐렸다. 해미가 짐볼 위에 누워 있는데, 트레이너가 갑자기 창가로 다가갔다. 창에 반쯤 걸쳐져 있던 블라인드를 올렸다. 창밖에 눈이 펄펄 내리고 있었다. 아, 눈은 흰색이었구나, 마치 그 사실을 처음 발견한 것처럼 해미는 누운 채로 내내 밖을 바라보았다. 트레이너도 해미의 옆에 선 채, 내내 밖을 바라보았다.

눈은 온 세상을 다 덮을 기세로 쏟아졌다.

"회원님."

그녀가 불쑥 해미를 불렀다.

"제가 하나 마나 한 얘기 하나 해드릴까요?"

"네? ……네."

"속이 상할 때는요, 따뜻하고 달콤한 걸 먹으면 도움이 좀 되더라고요. 제 경우에는요."

"네, 그렇군요."

"그렇다고 상한 마음이 사라지는 건 아니지만 잠시 잊을 수 있으니까요."

"네. 감사합니다."

해미는 트레이너를 바라보고 미소 지었다. 아주 짧은 동안이었다. 이곳에 와서 자신이 처음 웃었다는 것을 깨달았다. 트레이너도 해미를 마주보고 웃었다. 맑은 웃음이었다. 그러고 보니 해미는 아직 그녀의 이름도 모르고 있었다.

땅 위에 눈이 폭폭 쌓여갔다. 눈사람을 만들 수 있겠다는 생각이 들었다. ◊

나는,

'위로'라는 말을 좋아하지 않는다. 어쩌면 익숙하지 않아서인지도 모른다. 위로를 하는 쪽이라면 차라리 낫다. 그러나 위로를 받는 일은 번번이 어색하기만 하다. 그래서일 것이다. 오래도록 나는 위로받을 필요 없는 사람처럼 보이기 위해 애쓰며 살아왔다. 괜찮은 척하면, 아무렇지 않은 척하면, 정말로 곧 괜찮아지는 줄 알았다.

실제로 그렇게 느껴지기도 했다. 아픈 일에 대해 의식적으로 생각하지 않고 아무 일도 아니라는 듯 행동하는 동안 시간이 지나갔다. 그래서인지 웬만한 통증은 혼자 견딜 수 있게 되었다. 그런데 진짜 그랬을까? 모든 통증이 다 그렇지는 않았다. 어떤 것은, 아주 작고 단단하게 뭉쳐져 가슴 맨 밑바닥에 남았다.

지난겨울의 어느 날, 갑작스러운 부고를 받았다. 그 밤엔 서울에 눈이 많이 내렸다. 블라인드를 걷고 새벽의 눈을 한동안 바라봤다. 어울리는 음악을 듣고 싶었는데 내 스마트폰에 담긴 노래 리스트 중 '눈'이라는 단어가 나오는 건 캐럴 〈징글벨〉뿐이었다. 좋아하는 음악을 다운 받을 시간도, 정신도 없이 살아가고 있다는 증거였다. 이렇게 살아도 되는 걸까, 이 길이 정말 맞는 걸까. 복잡한 상념에 잠겼을 때였다.

흰 눈 사이로 썰매를 타고 달리는 기분……. 오랫동안 관성적으로 들어온 그 노래의 가사가 처음으로 가슴에 박혔다. 흰 눈 사이로 썰매를 타고 달리는 상쾌한 기분이 어떤 건지 나는 잘 모른다. 흰 눈 속에서 마음 편히 놀아본 기억이 거의 없기 때문에.

눈이 펑펑 내리면 불안해지기부터 했다. 눈이 그치면 일어날 일들이 미리 걱정스러워서였다. 온 세상을 뒤덮을 듯 속수무책으로 쏟아지는 저 눈은 필연적으로 그칠 것이다. 길바닥에 쌓인 눈은 꽁꽁 얼거나 살얼음이 될 것이다. 곳곳에서 엉덩방아를 찧거나 골절상을 입는 이들이 속출할 것이다. 크고 작은 교통사고가 일어날 것이고, 사람들의 신발에 함부로 짓밟힌 길가의 눈은 곧 질척질척한 잿빛으로 변할 것이다.

완전히 녹지 않은 채 도심 길가 한편에 아무렇게나 쌓인 눈의 형상은 '한순간 찬란하게 아름다웠던 것들'의 운명을 암시한다. 한순간 아름다웠으나 한순간 깨끗하게 소멸하지는 못한 것들, 구질구질하게 남겨졌다가 결국엔 자취도 없이 사라지고 마는 것들의 남루한 운명 말이다.

다음날 아침 누군가 골목 앞에다 눈사람을 만들어놓았다. 큰 눈덩이는 아래에 받치고 그보다 작은 눈덩이는 위에 올렸다. 나뭇가지로 코도 만들고 양팔도 붙였다. 제법 그럴싸했다. 문득 한 가지 의문이 들었다. 인터넷을 뒤져보니 이미 같은 궁금증을 토로한 분들이 몇 있었다.

"전 지구촌에서 8자 모양으로 눈사람을 만드는데, 왜 모두 똑같은 거죠?"

속시원한 답은 어디에도 없었다. 중세시대에도 지금과 같은 형태로 눈사람을 만들었다는 이야기만 찾을 수 있었다.

그런데 이상한 게 또 있다. 사람은 열심히 눈을 굴려서 왜 하필 '사람'을 만드는 걸까? 아니, 눈덩이 두 개를 8자 모양으로 만들어놓고서 왜 '사람'이라고 부르는 걸까? 이목구비를 붙이고, 모자나 목도리도 씌우면서 왜 더 '진짜 사람'에 가깝게 하려고 애쓰는 걸까? 어차피 며칠 지나면 스르르 녹아 없어지고 말 텐데! 인간의 생명은 좀더 길 뿐, 결국 눈으로 만들어진 저 눈사람의 숙명과 다를 바 없다. 눈사람 창조자가 되는 동안 인간은 혹시 그 엄혹한 사실을 잠시 잊고 싶은 걸까?

2015년 만들어진 미국의 애니메이션 〈릴리와 눈사람〉(Lily & the Snowman)은 이 분 남짓의 아주 짧은 단편이다. 거기엔 겨울이 지날 때마다 냉장고에 눈사람을 넣어두는 아이가 나온다. 눈사람과의 행복한 기억을 간직하고 있는 소녀 릴리는 소중한 존재를 녹게 놔두는 대신 가두는 쪽을 택한다. 냉장고 문을 열고, 눈사람을 넣고, 곰인형을 안겨주고, 문을 닫으면서 아이는 자신이 사랑하는 존재에게 영원한 생명을 준다고 생각했을 것이다.

그런데 유년의 시간은 너무 빨리 사라진다. 자라는 동안 릴리는 창고의 냉장고 안에 눈사람을 보관해두었다는 사실을 조금씩 잊어간다. 바쁘게 사는, 보통의 어른이 되어버린다. 사무실 창밖으로 눈이 내리기 시작하면 퇴근길과 다음날 출근길의 정체를 먼저 걱정하는 어른. 그러던 어느 겨울밤, 다시 눈이 내린다. 릴리는 문득 어릴 적의 눈사람이 아직 그 안에 들어 있을지 모른다는 사실을 떠올린다. 창고를 향해 달려간다. 마지막은 오래 갇혀 있던 눈사람을 마당에 꺼내놓고 함께 노는 장면이다. 옆에는 오래전의 릴리와 꼭 닮은 어린 딸도 있다. 모두가 행복해 보인다. 이제 릴리는 '되찾은' 걸까, 오래전 잃어버린 그 조그맣고 반짝이는 것을.

애니메이션은 그렇게 끝나지만 이 서사의 마지막이 해피엔드도 새드엔드도 아님을 우리는 안다.

어른 릴리는 저 눈사람을 다시 냉장고 속에 넣지 않을 것이다. 그냥 밖에 놓아둘 것이다. 동심을 잃어서가 아니다. 녹는 것은 녹게 두어야 한다는 것을 알게 되었기 때문이다. 녹아내리다가 마침내 소멸하는 과정을 이제 마음으로 지켜볼 것이다. 흔적도 없이 사라졌어도 눈사람이 분명 여기에 있었음을 기억할 것이다.

사라진 것들은 한때 우리 곁에 있었다.

녹을 줄 알면서도, 아니 어쩌면 녹아버리기 때문에 사람은 눈으로 '사람'을 만든다. 언젠가 죽을 것을 알면서도 오늘을 사는 것처럼.

곧 녹아버릴 눈덩이에게 기어코 모자와 목도리를 씌워주는 그 마음에 대하여, 연민에 대하여 나는 다만 여기 작게 기록해 둔다. ♦

우리가 녹는 온도

1판 1쇄 2017년 12월 18일
1판 5쇄 2020년 2월 11일

지은이 정이현

편집 이희숙 박선주 **모니터링** 이희연
디자인 김마리 **사진** 〈컨셉진〉 신다혜
제작 강신은 김동욱 임현식
마케팅 송승헌 이지민 **홍보** 김희숙 김상만 오혜림 지문희 우상희
관리 윤영지

펴낸이 이병률
펴낸곳 달 출판사
출판등록 2009년 5월 26일 제406-2009-000034호
주소 10881 경기도 파주시 회동길 455-3
전자우편 dal@munhak.com
페이스북·트위터·인스타그램 dalpublishers
전화번호 031-8071-8682(편집) 031-8071-8671(마케팅)
팩스 031-8071-8672

ISBN 979-11-5816-070-8 03810

- 이 도서의 국립중앙도서관 출판예정도서목록(CIP)은 서지정보유통지원시스템 홈페이지 (http://seoji.nl.go.kr)와 국가자료공동목록시스템(http://www.nl.go.kr/kolisnet)에서 이용하실 수 있습니다. (CIP제어번호 : CIP2017032581)